그림자 속의 속삭임

임동준

그림자 속의 속삭임

발행	¦	2024년 3월 30일
저자	¦	임동준
디자인	¦	어비, 미드저니
편집	¦	어비
펴낸이	¦	송태민
펴낸곳	¦	열린 인공지능
등록	¦	2023.03.09(제2023-16호)
주소	¦	서울특별시 영등포구 영등포로 112
전화	¦	(0505)044-0088
이메일	¦	book@uhbee.net

ISBN | 979-11-93116-69-2

www.OpenAIBooks.shop

그림자 속의 속삭임

임동준

목차

머리말

무언가를 잘 쓰려면, 그것을 잘하는 방법을 활용하는 것이 핵심입니다. 많은 사람들이 ChatGPT가 만들어내는 결과물에 놀라움을 표하며, 이를 통해 다양한 것들을 만들고 있습니다. 누군가는 1분만에 발표 슬라이드를 만들기도 하고, 또 다른 누군가는 책의 표지를 만들기도 합니다. 물론, ChatGPT의 능력에는 한계가 있으며, 복잡하고 불확실한 문제 앞에서는 종종 오류를 범하기도 합니다. 정확한 정보와 계산을 요구하는 작업에는 아직 어려움이 따르죠.

제가 ChatGPT와 함께 책을 쓰기로 한 도전은 바로 이러한 점에서 출발했습니다. 처음에는 정보를 전달하는 책을 쓰려 했으나, 틀린 정보가 나올 때마다 수정을 요구해야 했고, 진위를 구별하는 것 자체가 어려운 일이었습니다. 그러나 곧 저의 생각이 바뀌었습니다. '왜 ChatGPT가 가장 잘하는 것, 즉 이야기를 생성하는데 집중하지 않을까?' 하고 말이죠. ChatGPT는 때로는 전체 맥락을 기억하지 못하는 단점이 있지만, 그것이 오히려 우연성과 의외성을 더해주는 장점으로 작용하기도 합니다.

결국, 저는 ChatGPT에게 소설의 이야기를 더욱 흥미진진하게 만들어달라고 요청했고, 그 결과 한 탐정의 이야기가 탄생했습니다. ChatGPT가 어떻게 이야기를 펼쳐나가고 독자들을 매혹시키는지 궁금하시다면, 지금 이 책장을 넘겨 그 세계로 함께 떠나보시길 바랍니다.

저자 소개

임동준(메이커준)은 경험을 읽고, 교육을 하는 교육자입니다. 지식을 전달하는 것을 넘어 누군가의 경험에 지식이 어떻게 적용되고 연결될 수 있는지 고민하는 것을 좋아합니다.

그것이 바로 스스로의 색깔을 찾을 수 있는 길이라고 믿기 때문입니다. 현재 웹 프론트엔드, ChatGPT로 더 똑똑해지기, 개발자 성장에 관련한 교육을 진행하고 있습니다.

최근의 가장 큰 관심사는 AI가 잘할 수 있는 것으로, 재밌고 유용한 실험을 해보는 것입니다.

1장 탐정의 눈: 서막

실종자의 파일, 집중하는 탐정의 눈빛

비가 내리는 어느 늦은 밤, 서울의 번화가는 조용히 잠들어 있었다. 가로등 불빛이 빗방울에 반사되어 길거리를 은은하게 밝히는 가운데, 한 남자가 골목길을 걸어가고 있었다. 그의 눈빛은 날카로웠고, 긴장감이 흐르는 얼굴에는 깊은 생각의 흔적이 역력했다. 그는 김준혁, 젊은 사설 탐정이었다.

준혁의 사무실은 오래된 건물의 3층에 위치해 있었다. 낡은 엘리베이터 소리를 뒤로하고 그가 사무실 문을 열었을 때, 책상 위의 컴퓨터 화면이 환하게 빛나고 있었다. 화면 속에서는 AI 비서가 그를 기다리고 있었다. "당신을 기다리고 있었습니다," 그 음성은 친근하면서도 기계적이었다. 준혁은 컴퓨터를 향해 무언가를 물었다. 그러나 AI의 이름을 부르지는 않았다.

사무실은 소박했지만, 그곳은 준혁에게 안식처와도 같았다. 벽에는 여러 사건 파일들이 정리되어 있었고, 작은 책장에는 탐정 소설들이 꽂혀 있었다. 창문 밖으로는 비에 젖은 도시의 야경이 펼쳐져 있었다. 그러나 준혁의 눈길은 책상 위에 놓인 새로운 사건 파일에 머물렀다.

"우리에게 새로운 사건이 주어졌군요," 그는 혼잣말처럼 중얼거렸다. 사건 파일을 펼치자, 한 여성의 실종 사건이 눈에 들어왔다. 그녀는 최근 몇 주 사이에 사라진 다섯 번째 실종자였다. 준혁은 심각한 표정으로 파일을 읽어 내려갔다. 그의 눈빛에서는 집중의 빛이 번뜩였다.

"이 사건을 해결하기 위해, 당신의 도움이 필요해," 준혁이 컴퓨터 화면을 바라보며 말했다. 그의 목소리에는 강한 결의가 담겨 있었다. AI 비서는 즉각적으로 데이터 분석을 시작했다. 실종된 여성의 사진, 사라진 장소, 그리고 그녀의 마지막 행적에 대한 정보가 화면에 떠올랐다.

준혁은 자신의 코트를 집어 들고 사무실을 나섰다. 그의 걸음걸이는 결연했고, 눈빛은 사건을 해결하겠다는 의지로 가득 차 있었다. 빗방울이 그의 얼굴을 적시고, 골목길을 걸으며 그는 사건 해결의 실마리를 찾기 시작했다.

음산한 공원의 탐색

준혁은 실종된 여성의 마지막 행적이 목격된 장소로 향했다. 그곳은 낡은 주택가의 한 구석에 위치한 작은 공원이었다. 비가 내리는 밤, 공원은 적막하고 음산한 분위기를 풍기고 있었다. 공원의 벤치, 놀이터, 그리고 산책로를 조심스럽게 둘러보며, 준혁은 어둠 속에서 사건의 단서를 찾으려 애썼다.

그때, 그의 눈에 무언가가 띄었다. 놀이터 근처의 덤불 속에서 무엇인가 반짝이는 것이 보였다. 준혁은 조심스럽게 그곳으로 다가갔다. 반짝임의 원인은 금속 펜던트였다. 그는 펜던트를 들어 올리며 신중하게 살펴보았다. 여기에 무언가 메시지가 숨겨져 있을 수도 있었다.

준혁은 즉시 AI 비서에게 사진을 전송했다. "이 펜던트에서 무언가 찾아낼 수 있을까?" 그의 목소리는 긴장감으로 가득 차 있었다. AI 비서는 이미지를 분석하기 시작했다. 화면에는 다양한 데이터가 빠르게 흘러갔다. 그리고 곧, 중요한 정보가 드러났다. 펜던트는 실종된 여성이 자주 착용하던 것이었고, 그 안에는 미세하게 각인된 이니셜이 있었다.

준혁은 심호흡을 하며 생각에 잠겼다. 이 펜던트는 사건 해결의 중요한 단서가 될 수 있었다. 그는 이 펜던트를 통해 실종자의 마지막 동선을 좁혀볼 계획을 세웠다. 공원을 빠져나오며, 그는 다음 조사 계획을 세웠다.

준혁이 사무실로 돌아가는 길, 빗물이 그의 얼굴을 적시며 그의 생각을 더욱 명료하게 만들어 주었다. 그는 사무실로 돌아와 새로운 정보를 정리하며 다음 날의 조사 계획을 세웠다. AI 비서와 함께 사건의 실마리를 풀기 위한 첫걸음을 떼었다.

펜던트의 수수께끼

새벽이 밝아오고, 준혁은 커피 한 잔으로 잠을 쫓으며 사무실에서 밤을 지새웠다. 그의 눈앞에 펼쳐진 건, 펜던트의 이미지와 그와 관련된 정보들이었다. AI 비서는 준혁이 모르는 사이에도 끊임없이 데이터를 분석하고 있었다.

"이 펜던트에 각인된 이니셜, 이것이 중요한 단서가 될 수 있어요." 준혁이 중얼거렸다. 그의 눈은 컴퓨터 화면에 고정되어 있었고, 손가락은 빠르게 키보드를 두드렸다. AI 비서는 펜던트의 이니셜과 연관된 인물들의 데이터베이스를 검색하기 시작했다.

한편, 준혁은 펜던트가 발견된 공원 근처의 CCTV 영상을 분석하기 시작했다. 그의 집중력은 강렬했고, 그의 눈은 화면 속의 모든 움직임을 놓치지 않으려 애썼다. 그러던 중, 실종된 여성이 펜던트를 착용하고 있는 모습이 CCTV에 포착되었다. 그녀는 누군가와 함께 공원으로 들어가는 모습이었다.

준혁은 화면을 멈추고, 그 인물을 자세히 살폈다. "이 사람, 누구지?" 그의 목소리에 의문이 담겨 있었다. AI 비서는 준혁이 지적한 인물의 얼굴을 분석해 인물 식별 작업을 시작했다. 심야의 고요함 속에서, 사무실은 긴장감으로 가득 차 있었다.

분석 결과가 나왔다. 그 인물은 실종된 여성과 가까운 관계에 있는 인물이었다. 준혁은 이 새로운 정보를 바탕으로 사건의 진실에 한 발짝 더 다가섰다고 느꼈다. 그는 즉시 그 인물의 주소를 찾아내고, 다음 조사 계획을 세웠다.

단서의 미로: 숨겨진 진실의 시작

새벽이 밝아올 무렵, 준혁은 잠시도 쉬지 않고 계획을 세웠다. 그의 눈앞에는 실종된 여성과 연관된 인물의 정보가 펼쳐져 있었다. 이 인물은 여성의 전 직장 동료로, 최근 그녀와 자주 만나고 있었다. 준혁은 이 사람이 사건의 열쇠를 쥐고 있을지도 모른다고 생각했다.

그의 사무실에서는 AI 비서가 계속해서 데이터를 분석하고 있었다. 준혁은 이 정보를 바탕으로 그 인물의 집을 찾아가기로 결정했다. 그는 간단한 조사 장비를 챙기고, 새벽의 조용함 속을 빠르게 걸어 나갔다.

태양이 도시의 지평선 위로 솟아오를 무렵, 준혁은 그 인물의 집에 도착했다. 그곳은 한적한 주택가의 작은 집이었다. 그는 문을 두드렸지만, 아무런 대답이 없었다. 창문을 통해 안을 들여다보니, 집 안은 어질러져 있었고, 싸움의 흔적 같은 것이 보였다.

준혁은 긴장감을 느끼며 주변을 살폈다. 그리고 집 뒤쪽에 있는 작은 정원으로 발걸음을 옮겼다. 정원에는 신선한 흙이 파헤쳐진 흔적이 있었다. 그의 심장은 빠르게 뛰기 시작했다. 이곳에서 무언가 중요한 단서를 발견할 수도 있었다.

준혁은 조심스럽게 흙을 파헤쳤다. 그리고 곧, 땅속에서 뭔가가 드러났다. 그것은 한 묶음의 서류와 함께 묻혀 있던 작은 금고였다. 준혁은 금고를 조심스럽게 꺼내어 그 내용을 확인했다. 금고 안에는 여러 장의 서류와 함께, 실종된 여성과 관련된 사진들이 들어 있었다.

이 서류와 사진들은 사건을 새로운 방향으로 이끌 수 있는 중요한 단서가 될 수 있었다. 준혁은 이 발견에 대해 AI 비서에게 보고하며, 추가 분석을 요청했다. 그의 마음속에는 더 많은 질문들이 생겨나고 있었다.

2장 그림자 속으로

숨겨진 비밀의 단서: 일기장의 수수께끼

금고 안에서 발견된 서류와 사진들은 준혁에게 새로운 시각을 제공했다. 서류들은 실종된 여성과 그녀의 전 직장 동료 간의 복잡한 관계를 나타내고 있었다. 사진들 속에서는 그들이 함께 있는 모습이 여러 차례 포착되어 있었고, 몇몇 사진에서는 두 사람 사이에 긴장감이 느껴졌다.

준혁은 이 서류와 사진들을 빠르게 촬영하여 AI 비서에게 전송했다. "이 자료들을 분석해줘. 우리가 놓친 게 있나 찾아봐야 해." 그의 목소리는 진지했다. AI 비서는 곧바로 데이터 분석을 시작했고, 준혁은 그 동안 집 주변을 더욱 세밀하게 조사했다.

집 안에서는 추가적인 흔적을 찾을 수 없었다. 준혁은 집 밖으로 나와 주변을 둘러보았다. 그의 눈은 각종 흔적들을 찾아내려 집중했다. 이때, 그는 땅에 떨어진 한 조각의 종이를 발견했다. 그것은 일기장의 한 페이지처럼 보였고, 급하게 찢겨진 듯한 흔적이 있었다.

준혁은 그 종이 조각을 주워 들었다. 그 위에는 날짜와 함께 몇 줄의 글이 적혀 있었다. "이게 뭐지?" 준혁은 의문을 품으며 그 글귀를 읽었다. 그 내용은 실종된 여성이 무언가에 대해 극도로 불안해하고 있다는 것을 암시했다. 준혁은 이 종이 조각이 사건의 중요한 단서가 될 수 있음을 직감했다.

AI 비서로부터 분석 결과가 도착했다. 서류와 사진들은 실종된 여성이 그녀의 전 직장 동료와 비밀스러운 사업을 진행하고 있었음을 나타냈다. 이 사업과 관련된 불법적인 활동의 증거도 포함되어 있었다.

준혁은 사건의 복잡성에 깊이 생각에 잠겼다. 실종된 여성과 그녀의 전 직장 동료, 그리고 그들 사이의 비밀스러운 사업이 이 사건의 핵심일 수 있었다. 그는 이 새로운 정보를 바탕으로 다음 조사 계획을 세우기 시작했다.

은밀한 거래의 그림자

준혁은 새벽녘의 차가운 공기를 가르며 사무실로 돌아왔다. 그의 머릿속은 새로 발견된 단서들로 가득 차 있었다. 실종된 여성과 그녀의 전 직장 동료 사이의 은밀한 사업, 그리고 그 사업이 불법적인 활동과 연결되어 있을 가능성. 이 모든 것이 사건의 해결에 중요한 역할을 할 것이라는 것을 준혁은 확신했다.

사무실에 도착하자, AI 비서는 이미 준혁을 기다리고 있었다. "새로운 단서를 분석할 준비가 되었습니다," 그 기계적이면서도 친근한 목소리가 사무실을 채웠다. 준혁은 서류와 사진, 그리고 일기장 조각을 AI 비서에게 전달했다.

분석 과정에서 AI 비서는 실종된 여성과 전 직장 동료가 관련된 여러 거래 내역과 비밀 회의 기록을 찾아냈다. 이러한 정보들은 두 사람이 공모하여 벌인 사기 사건의 가능성을 높였다.

준혁은 이제 다음 행동을 결정해야 했다. 그는 실종된 여성의 가족과 친구들을 만나 더 많은 정보를 얻기로 했다. 동시에, 전 직장 동료의 행방도 추적하기 시작했다.

그날 오후, 준혁은 실종된 여성의 집을 방문했다. 그녀의 가족은 충격과 슬픔에 잠겨 있었고, 준혁의 질문에 조심스럽게 답했다. 그들은 여성이 최근에 불안해하는 모습을 보였다고 말했다. 특히 그녀가 전 직장 동료와 자주 만나고, 그 이후로는 더욱 걱정스러운 기색을 보였다는 것이었다.

준혁은 가족들과의 대화를 통해 실종된 여성이 어떤 위험에 처해 있었는지 더욱 확신하게 되었다. 그는 이제 전 직장 동료를 찾아내는 것이 사건 해결의 핵심임을 깨달았다.

그날 저녁, AI 비서로부터 중요한 정보가 도착했다. 전 직장 동료가 최근에 자주 방문한 장소의 목록이었다. 준혁은 그 목록을 바탕으로 그를 추적하기 시작했다. 이 과정에서 그는 불법적인 거래와 연결된 잠재적인 위험에 직면할 수도 있음을 알고 있었다.

은밀한 바의 비밀

준혁은 AI 비서로부터 받은 정보를 바탕으로 전 직장 동료가 자주 방문하는 바를 찾아갔다. 낡은 건물의 지하에 위치한 이 작은 바는 은밀하면서도 어두운 분위기를 풍겼다. 바 안은 조용했고, 몇몇 손님들이 산발적으로 앉아 있었다.

준혁은 바텐더에게 접근했다. "저, 잠깐만요. 이 사진 속의 사람을 본 적 있나요?" 그가 전 직장 동료의 사진을 내밀며 물었다. 바텐더는 사진을 유심히 살펴본 후 고개를 끄덕였다. "그래, 여기 자주 오는데. 하지만 최근에는 본 적 없어요."

준혁은 바텐더에게 더 많은 정보를 요청했다. "그가 여기 올 때 보통 누구와 함께 오나요?" 바텐더는 잠시 생각에 잠긴 후 대답했다. "혼자 오는 경우가 많았어요. 하지만 가끔은 한 여자를 데리고 왔지. 금발에, 눈에 띄게 예뻤어요."

준혁의 마음속에 새로운 의문이 일었다. 과연 그 금발의 여성이 실종된 여성과 관련이 있을까? 준혁은 바텐더에게 감사의 말을 남기고 바를 떠났다.

그날 밤, 준혁은 사무실로 돌아와 AI 비서와 함께 새로운 정보를 정리했다. "이 금발의 여성에 대해 알아낼 수 있을까?" 준혁이 물었다. AI 비서는 그의 질문에 바로 반응했고, 데이터베이스를 검색하기 시작했다.

분석 과정에서, AI 비서는 금발의 여성이 최근에 사라진 다른 여성들과 연관이 있을 수 있다는 점을 지적했다. 이것은 사건을 새로운 방향으로 이끌 수 있는 중요한 발견이었다.

준혁은 다음 날, 실종된 여성의 친구들을 만나기로 결정했다. 그들 중 한 명이 금발의 여성일 가능성이 있었다. 준혁은 그들과의 만남을 통해 더 많은 정보를 얻기를 기대했다.

다음 날, 준혁은 약속된 카페에서 실종된 여성의 친구들과 만났다. 그들은 준혁의 질문에 조심스럽게 답했다. "그녀가 최근에 만난 사람 중에 금발의 여성이 있었나요?" 준혁의 질문에, 한 친구가 놀란 표정으로 대답했다. "그런데, 어떻게 알았어요? 그녀가 최근에 자주 만나던 친구가 한 명 있는데, 그녀가 바로 금발이에요."

이 대화는 준혁에게 사건 해결의 중요한 실마리를 제공했다. 이 금발의 여성이 사건의 핵심 인물일 가능성이 커졌다. 준혁은 이 새로운 정보를 바탕으로 다음 조사 계획을 세웠다.

금발의 그림자: 이민지와의 만남

금발의 여성을 찾아내는 것이 이제 준혁의 주요 목표가 되었다. 그는 사무실로 돌아가 AI 비서와 함께 그녀의 위치를 추적하기 시작했다. AI 비서는 여러 데이터베이스를 활용해 금발 여성의 신원과 위치를 파악하는 데 도움을 주었다.

그녀의 이름은 이민지였다. 준혁은 이민지의 최근 활동 지역과 가능한 연락처를 찾아냈다. 준혁은 이 정보를 바탕으로 이민지를 찾아내기 위한 계획을 세웠다.

다음 날, 준혁은 이민지가 자주 방문하는 것으로 알려진 한 카페에 도착했다. 그곳은 아늑한 분위기의 작은 카페였다. 준혁은 카페 구석에 앉아 이민지가 나타나기를 기다렸다.

잠시 후, 금발의 여성이 카페에 들어섰다. 그녀는 주변을 둘러보며 조심스럽게 자리에 앉았다. 준혁은 잠시를 기다린 후 그녀에게 다가갔다.

"이민지 씨, 맞나요? 저는 김준혁입니다. 잠시 이야기를 나눌 수 있을까요?" 준혁이 조심스럽게 말을 건넸다.

이민지는 잠시 놀란 눈치였지만, 곧 안정을 찾았다. "네, 무슨 일인가요?"

준혁은 실종된 여성과 이민지 사이의 관계에 대해 조심스럽게 질문했다. 이민지의 표정은 조심스러웠으나, 그녀는 솔직하게 답변했다. "그녀와는 예전 동료였어요. 하지만 최근에는 거의 연락을 하지 않았어요."

준혁은 이민지에게 그녀의 전 직장 동료와의 관계에 대해서도 물었다. 이민지는 잠시 주저하더니, "그와는 사업상의 문제로 몇 번 만났었어요. 하지만 그 사업이 좀 복잡해져서, 저는 빠지기로 결정했어요,"라고 대답했다.

이 대화에서 준혁은 이민지가 사건에 직접적으로 관련되어 있지 않다는 것을 알게 되었다. 하지만 그녀의 말에서 전 직장 동료와의 복잡한 사업 관계에 대한 단서를 얻을 수 있었다.

준혁은 이민지와의 대화를 마치고 사무실로 돌아갔다. AI 비서와 함께 이민지의 말을 분석하며, 전 직장 동료와 관련된 사건의 다음 단계를 계획했다. 준혁은 이제 그가 사건의 중심에 있다는 것을 확신하게 되었다.

창고의 계약서: 불법 거래의 발견

준혁은 이민지와의 대화에서 얻은 정보를 바탕으로 전 직장 동료와 관련된 사건의 다음 단계를 계획했다. 그는 AI 비서와 함께 전 직장 동료의 행적을 좀 더 꼼꼼히 추적하기 시작했다. 분석 결과, 전 직장 동료가 최근에 자주 방문한 것으로 나타난 곳은 한 외곽에 위치한 창고였다.

준혁은 창고로 향했다. 외곽 지역으로 들어서면서, 그는 불법적인 사업의 실체에 점점 더 가까워지고 있음을 느꼈다. 창고에 도착했을 때, 그는 주변을 신중하게 관찰했다. 창고는 폐쇄되어 보였으나, 몇몇 증거들이 최근에 누군가가 이곳을 사용했음을 암시했다.

준혁은 창고 안으로 들어갔다. 안은 어둡고 적막했다. 그는 손전등을 켜고 주변을 살폈다. 창고 안은 여러 상자와 기계 부품들로 가득 차 있었다. 그는 이곳에서 어떤 불법 거래가 이루어졌을 가능성을 짐작했다.

그때, 준혁은 바닥에 떨어진 한 장의 문서를 발견했다. 그 문서는 불법 거래와 관련된 계약서처럼 보였다. 그는 문서를 꼼꼼히 살펴보며 중요한 정보를 찾아냈다. 계약서에는 전 직장 동료와 실종된 여성의 이름이 명시되어 있었고, 거액의 금전 거래 내용이 드러나 있었다.

준혁은 이 문서를 증거로 챙기고, 창고를 더욱 꼼꼼히 조사했다. 그러나 추가적인 단서를 찾지는 못했다. 그는 창고에서 나와 AI 비서에게 이 새로운 발견을 보고했다.

AI 비서와 함께 문서를 분석하는 과정에서, 준혁은 이 사건이 단순한 실종 사건이 아니라, 더 큰 범죄 조직과 연결될 수 있음을 깨달았다. 그는 이제 이 사건의 범위가 예상보다 훨씬 넓다는 것을 인지했다.

3장 대결의 서곡

불법 거래의 그림자: 범죄 조직의 잔해

준혁은 창고에서의 발견을 바탕으로 사건의 규모와 복잡성을 재평가했다. 불법 거래와 연관된 범죄 조직의 가능성은 그의 조사를 새로운 차원으로 이끌었다. 그는 AI 비서와 함께 이 조직의 실체를 밝혀내기 위한 계획을 세웠다.

다음 날, 준혁은 창고 근처에서 의심스러운 활동을 살피기 위해 재차 그곳을 방문했다. 그는 멀리서 창고를 관찰하며 어떤 수상한 움직임을 포착하기를 기다렸다.

그의 인내심은 곧 결실을 맺었다. 한 그룹의 사람들이 창고 안으로 들어가는 것이 목격되었다. 그들의 행동은 은밀했고, 목적이 분명해 보였다. 준혁은 이들을 조심스럽게 추적하기 시작했다.

창고 안에서 그는 그룹의 대화를 엿듣기 시작했다. 그들은 최근의 거래와 향후 계획에 대해 이야기하고 있었다. 준혁은 그들의 대화에서 중요한 정보를 포착했다. 이들은 실종된 여성과 전 직장 동료가 관련된 불법 거래에 깊숙이 연루되어 있었다.

준혁은 이 정보를 AI 비서에게 전달했다. AI 비서는 신속하게 데이터베이스를 활용해 이 조직의 구성원들과 그들의 활동에 대한 추가 정보를 수집했다. 이 정보는 준혁에게 이 사건이 단순한 실종 사건이 아니라, 더욱 광범위한 범죄 네트워크와 관련되어 있음을 확실하게 보여주었다.

준혁은 이제 이 범죄 조직을 해체하고 실종된 여성을 찾기 위한 구체적인 행동 계획을 세웠다. 그는 법 집행 기관과의 협력을 고려하며, 자신이 수집한 정보를 토대로 조직에 대한 더 깊은 조사를 시작했다.

뒤섞인 카드: 범죄 조직과의 대결

준혁은 범죄 조직과의 직접적인 대면을 준비했다. 그는 AI 비서와 함께 조직의 다음 움직임을 예측하며, 신중한 작전 계획을 세웠다. 그의 목표는 조직의 핵심 멤버를 포착하고, 실종된 여성의 위치를 파악하는 것이었다.

그날 저녁, 준혁은 정보에 따라 한 낙후된 건물로 향했다. 그곳은 범죄 조직이 자주 사용하는 것으로 알려진 장소였다. 준혁은 건물 안으로 조심스럽게 들어가며 주변을 살폈다.

건물 안은 음산하고 조용했다. 준혁은 복도를 따라 조심스럽게 이동하며, 주변의 모든 소리에 귀를 기울였다. 그때, 그는 앞쪽 방에서 나는 낮은 목소리를 들었다.

준혁은 문틈으로 방 안을 엿보았다. 그곳에는 중년의 남성이 전화로 이야기를 하고 있었다. 그의 말투는 단호하고 위협적이었다. "내일까지 모든 거래를 마무리 지어. 아무도 눈치채지 못하게 해."

준혁은 이 남성이 조직의 핵심 인물임을 직감했다. 그는 조심스럽게 방 안으로 들어갔다. "이야기 좀 할 수 있을까요?" 그가 남성에게 말했다.

남성은 놀라서 준혁을 바라보았다. "당신은 누구지? 여기에 어떻게 들어왔어?"

준혁은 차분하게 대답했다. "저는 사립 탐정 김준혁입니다. 실종된 여성에 대해 몇 가지 질문이 있어요."

남성은 잠시 망설이다가 말했다. "그 여성은 나와 아무 관련 없어. 나는 단지 사업을 하고 있을 뿐이야."

준혁은 남성에게 창고에서 발견한 계약서와 거래에 대해 이야기했다. 남성의 표정은 점점 긴장감으로 바뀌었다. 준혁은 그의 반응에서 뭔가 숨기고 있음을 감지했다.

"그 여성과 당신의 거래가 무엇인지, 그리고 그녀가 지금 어디에 있는지 말해보세요. 그렇지 않으면 경찰에 신고할 겁니다."

남성은 잠시 침묵했다. 그리고는 마침내 입을 열었다. "그 여성은... 그 여성은 위험에 처해 있어. 하지만 나도 그녀를 찾고 있어. 그녀가 갑자기 사라졌거든."

이 대화는 준혁에게 사건이 단순한 실종이 아니라, 더 복잡한 배경을 가지고 있음을 확신시켰다. 그는 이 남성을 더욱 압박하여 실종된 여성의 위치와 조직의 다른 멤버에 대한 정보를 얻어내기로 결심했다.

위기가 한 발자국 더 가까워질 때

준혁은 조직의 핵심 인물을 압박하며 더 많은 정보를 얻어내기 시작했다. "당신이 그 여성과의 관계를 숨기는 이유가 뭐죠? 그녀가 사라진 이유, 그리고 당신이 관련된 진짜 사업은 무엇인가요?"

남성은 불안한 눈빛으로 주변을 둘러보았다. "좋아, 말하겠어. 하지만 이 정보가 바깥으로 새어나가면 나도 위험에 처할 거야."

"안전을 보장해 줄 수 있어요. 하지만 먼저, 그 여성의 안위가 걱정됩니다. 그녀는 어디에 있나요?"

남성은 숨을 깊게 들이쉬고, 이야기를 시작했다. "그 여성은... 우리 조직이 아닌 다른 라이벌 조직에 의해 납치되었어. 나는 그녀를 도와주려 했지만, 그들은 무서운 사람들이야. 그들은 우리의 거래를 방해하고, 그녀를 이용해 우리를 협박하고 있어."

준혁은 라이벌 조직의 이름과 위치에 대해 물었다. 남성은 조심스럽게 대답했다. "그들은 '검은 용'이라고 불리는 조직이야. 그들의 본거지는 도시 외곽의 한 폐공장에 있어."

준혁은 이 정보를 메모하며, 추가 질문을 이어갔다. "그 여성과 당신의 사업 관계는 정확히 무엇이었나요?"

남성은 불편한 듯 몸을 움직였다. "그것은... 불법적인 기술 거래였어. 하지만 나는 그저 중개인일 뿐이야. 실제로는 그녀가 중요한 역할을 했지."

준혁은 그 정보를 바탕으로 빠르게 행동 계획을 세웠다. 그는 이 남성을 법 집행 기관에 인계하고, '검은 용' 조직의 본거지로 향하기로 결정했다.

'검은 용'의 본거지에 도착했을 때, 준혁은 최대한 조심스럽게 접근했다. 폐공장은 음침하고 적막했다. 준혁은 건물 안으로 들어가며 각종 위험에 대비했다.

건물 안에서, 그는 곧 몇몇 무장한 경비원들을 발견했다. 준혁은 은밀하게 그들을 피해 이동했다. 그의 목표는 실종된 여성을 찾고, 라이벌 조직의 계획을 파악하는 것이었다.

준혁은 한 사무실에 들어가자마자, 중요한 문서들을 발견했다. 그 문서들은 라이벌 조직의 거래와 계획을 자세히 기술하고 있었다. 그리고 그 중 한 문서에는 실종된 여성의 현재 위치가 기록되어 있었다.

준혁은 그녀가 여전히 폐공장 안에 있음을 알고, 즉시 그녀를 찾기 시작했다. 그는 긴장감을 느끼며 공장의 미로 같은 복도를 따라 이동했다.

준혁은 서울 외곽의 폐허가 된 공장지대에 도착했다. 이곳은 한때 번성했던 산업 단지였으나, 이제는 버려진 건물들과 무너진 벽이 증언하듯 황량함만이 가득했다. '검은 용' 조직의 본거지로 사용되고 있는 이 폐공장은 오래된 철근과 부서진 유리창으로 뒤덮여 있었다. 준혁은 주변을 살피며 조심스럽게 공장 안으로 들어섰다.

공장 안은 어둡고 음습했다. 먼지가 날리는 복도를 따라, 준혁은 미로 같은 공간을 조심스럽게 탐색했다. 그는 소리 하나 내지 않으려고 발걸음을 가볍게 옮겼다.

준혁이 한 작은 방에 도달했을 때, 그곳에서는 의외의 소리가 들려왔다. 방 안에서 여성의 목소리가 들렸고, 그녀는 누군가와 대화를 나누고 있었다. 준혁은 문틈으로 안을 엿보았다. 실종된 여성, 박수진이 바로 그곳에 있었다. 그녀는 불안한 표정으로 한 남성과 이야기하고 있었다.

"당신들이 나를 여기에 가두고, 내 연구를 강탈하려는 거죠? 나는 협력하지 않을 거예요!" 박수진의 목소리는 단호했다.

남성은 차갑게 웃으며 대답했다. "당신의 선택이지만, 협력하지 않으면 더 큰 대가를 치를 거야. 당신의 연구는 우리에게 큰 가치가 있어."

준혁은 순간적으로 판단했다. 그는 문을 밀고 방에 들어섰다. "박수진 씨, 저는 당신을 구하러 온 김준혁입니다. 지금 당장 이곳을 빠져나가야 해요."

박수진은 놀란 표정으로 준혁을 바라보았다. 남성은 화들짝 놀라며 무언가를 꺼내려 했지만, 준혁은 그의 손을 붙잡고 빠르게 그를 제압했다. "움직이지 마세요. 경찰이 곧 올 거예요."

준혁은 박수진을 이끌고, 빠르게 폐공장을 탈출했다. 그들은 복잡한 복도와 잔해를 헤치며 밖으로 나갔다. 밖으로 나오자, 준혁은 경찰에 연락하여 현장의 상황을 보고했다.

폐공장의 은밀한 탈출

준혁과 박수진은 폐공장의 그늘진 복도를 빠르게 지나갔다. 뒤에서 들리는 소란과 외침이 그들을 쫓아오고 있었다. '검은 용' 조직의 다른 구성원들이 그들의 탈출을 알아차렸던 것이다. 준혁은 박수진의 손을 꽉 잡고, 무너진 벽돌과 철근 사이를 민첩하게 헤쳐 나갔다.

서울 외곽의 이 폐공장은 한때 번성했던 공업 지대의 중심이었으나, 지금은 버려진 건물들이 증언하듯 쓸쓸함만이 가득했다. 준혁과 박수진은 폐공장의 뒤편으로 이동하여 조직원들의 시야에서 벗어났다.

"조금만 더 가면 안전해질 거예요. 여기서부터는 제가 알고 있는 비밀 통로가 있어요," 준혁이 말했다. 그는 이전에 조사를 통해 폐공장의 구조를 파악해두었던 것이다.

그들은 폐공장의 한 구석에 위치한 낡은 문을 통해 지하로 내려갔다. 지하 통로는 어둡고 습했으나, 준혁은 이 길이 그들을 안전한 곳으로 이끌 것임을 알고 있었다.

박수진은 숨을 고르며 말했다. "저를 찾아주셔서 정말 감사합니다. '검은 용' 조직은 제 연구를 노리고 있었어요. 그들은 제 연구를 불법적으로 사용하려 했죠."

준혁은 그녀에게 대답했다. "그들로부터 안전하게 벗어났어요. 하지만 이 사건에 대해 경찰에 자세히 진술해야 할 거예요. 그리고 당신의 연구가 어떤 위험을 초래할 수 있는지도요."

그들이 지하 통로를 따라 이동하는 동안, 준혁은 박수진에게 그녀의 연구와 '검은 용' 조직의 계획에 대해 더 많은 정보를 요청했다. 박수진은 자신의 연구가 고도의 기술을 이용한 에너지 발생 장치와 관련되어 있으며, 잘못 사용되면 큰 위험을 초래할 수 있다고 설명했다.

드디어 그들은 지하 통로를 빠져나와, 외곽의 한 공터로 이어지는 출구에 도달했다. 밝은 달빛이 그들을 맞이했다. 준혁은 곧바로 경찰에 연락하여 현장을 보고하고, 박수진을 안전한 곳으로 옮기기 위한 조치를 취했다.

준혁과 박수진은 폐공장 지대를 벗어나 서울 시내로 향했다. 도시의 불빛이 밤하늘을 밝히며, 그들은 한강을 따라 조용한 길을 선택했다. 강변에는 평온한 물결이 일렁이고, 멀리 남산 타워가 환하게 빛나고 있었다.

그들은 강변의 한 공원 벤치에 앉아 잠시 숨을 고르며 경찰의 도착을 기다렸다. 박수진은 준혁에게 자신의 연구와 '검은 용' 조직의 계획에 대해 더 자세히 설명했다.

"저의 연구는 신재생 에너지 분야에 혁신을 가져올 수 있어요. 하지만 그 기술이 잘못 사용되면 큰 재난을 초래할 수도 있죠. '검은 용'은 그 기술을 불법적인 목적으로 사용하려 했어요," 박수진이 조심스럽게 말했다.

준혁은 그녀의 말에 진지하게 귀를 기울였다. "당신의 연구가 안전한 곳에 보관될 수 있도록 도와드리겠습니다. 그리고 '검은 용' 조직의 다른 구성원들이 더 이상 위협이 되지 않도록 조치를 취해야겠죠."

그들의 대화는 경찰차의 도착 소리에 잠시 중단되었다. 경찰은 준혁과 박수진을 안전하게 경찰서로 이송했다. 경찰서에서, 준혁은 사건에 대한 전체적인 보고를 진행했고, 박수진은 자신의 연구와 '검은 용' 조직과의 관계에 대해 진술했다.

경찰 조사가 끝난 후, 준혁과 박수진은 경찰서를 떠나 서울의 한 카페로 향했다. 이곳은 조용하고 아늑한 분위기로, 그들은 사건에 대한 이야기를 계속 나누었다.

"저의 연구는 이제 안전한 곳에 보관될 거예요. 준혁 씨 덕분이죠. 정말 감사합니다," 박수진이 고마움을 표했다.

준혁은 웃으며 대답했다. "제가 할 수 있는 일을 한 것뿐이에요. 하지만 이 사건을 통해 서울에 더 큰 위험이 도사리고 있을 수도 있음을 깨달았어요. '검은 용' 조직의 뒤에 더 큰 세력이 있을지도 모르죠."

박수진은 준혁의 말에 공감하며, 그녀의 연구가 앞으로 어떻게 사용될지에 대한 그녀의 희망과 우려를 나누었다. 준혁은 그녀의 말에 귀 기울이며, 서울의 밤이 더 깊어가는 것을 느꼈다.

의외의 방문

밤이 깊어진 서울, 노을이 지고 별빛이 흐르는 하늘 아래, 준혁과 박수진은 강남의 한 조용한 카페에서 대화를 나누었다. 이곳은 현대적인 디자인과 따스한 조명이 어우러진 곳이었다, 주변은 고요했으며, 창밖으로는 밤의 도시가 환하게 빛나고 있었다.

박수진은 자신의 연구가 어떻게 오용될 수 있는지에 대해 걱정하며 말했다. "저의 연구가 잘못된 손에 들어가면 큰 재앙을 불러올 수 있어요. '검은 용' 조직이 그런 목적으로 사용하려 했던 것이 정말 무섭습니다."

준혁은 심각한 표정으로 그녀의 말에 공감했다. "당신의 연구가 안전하게 보관되도록 최선을 다할게요. 그리고 '검은 용' 조직 뒤에 숨겨진 더 큰 위협에 대해서도 계속 조사하겠습니다."

그들의 대화는 갑자기 카페로 들어서는 한 남성에 의해 중단되었다. 남성은 비즈니스 정장을 입고 있었으며, 그의 얼굴에는 긴장감이 역력했다. 그는 준혁과 박수진에게 다가와 조용히 말했다.

"김준혁 씨, 박수진 박사님, 제 이름은 이현우입니다. 저는 국가정보원에서 일하고 있습니다. 박사님의 연구와 '검은 용' 조직에 대해 이야기하고 싶습니다."

준혁과 박수진은 놀란 표정으로 이현우를 바라보았다. 준혁이 물었다. "국가정보원에서 왜 저희를 찾아오신 건가요?"

이현우는 심각한 표정으로 대답했다. "박수진 박사님의 연구가 국가 안보에 중대한 영향을 미칠 수 있어요. 그리고 우리는 '검은 용' 조직이 단순한 범죄 조직이 아니라는 것을 알고 있습니다. 그들은 국제적인 범죄 네트워크와 연결되어 있으며, 박사님의 연구를 이용해 더 큰 범죄를 계획하고 있었습니다."

준혁과 박수진은 이현우의 말에 경악했다. 준혁은 다시 물었다. "그럼 지금 우리가 해야 할 일은 무엇인가요?"

이현우는 신중하게 말을 이었다. "우리는 박사님의 연구를 안전하게 보호하고, '검은 용' 조직의 뒤에 숨겨진 더 큰 조직을 추적할 계획입니다. 김준혁 씨, 당신의 도움이 필요합니다. 당신의 능력과 경험이 이 사건의 해결에 큰 도움이 될 것입니다."

음모의 실체

강남의 분주한 거리에서 멀어진 곳, 조용한 카페의 비밀스러운 분위기 속에서 이현우, 준혁, 박수진은 더 깊은 대화를 나누기 시작했다. 카페의 창문 너머로는 서울의 야경이 환하게 빛나고 있었고, 가끔씩 지나가는 차량의 소리가 밤의 고요함을 깨트렸다.

이현우는 준혁과 박수진에게 더 많은 정보를 제공했다. "국가정보원은 '검은 용' 조직이 국제적인 불법 무기 거래에 관련되어 있다는 증거를 확보했습니다. 그들의 네트워크는 생각보다 훨씬 광범위하며, 여러 나라의 범죄 조직과 연결되어 있어요."

준혁의 눈빛은 이 정보에 심각한 관심을 보였다. "그렇다면 이 사건은 단순히 국내 문제가 아니군요. 국제적인 차원에서 접근해야 할 필요가 있어 보입니다."

박수진은 걱정스러운 표정으로 말했다. "제 연구가 그런 불법 거래에 사용될 수 있다는 건 정말 끔찍한 일이에요. 저는 그저 에너지 문제에 대한 해결책을 찾고 싶었을 뿐이에요."

이현우는 박수진을 안심시켰다. "걱정하지 마세요, 박사님. 우리는 박사님의 연구를 보호하고, 불법적인 사용을 막기 위해 최선을 다할 것입니다. 그리고 김준혁 씨, 우리는 당신의 도움이 절실합니다. 당신의 추리 능력과 현장 경험은 이 복잡한 사건을 해결하는 데 큰 도움이 될 것입니다."

준혁은 잠시 생각에 잠긴 후, 결심한 듯 고개를 끄덕였다. "제가 할 수 있는 한 돕겠습니다. 하지만 이 사건이 국제적인 차원에 이르렀으니, 저 혼자의 힘으로는 한계가 있을 것 같아요. 국가정보원과 긴밀히 협력할 준비가 되어 있습니다."

4장 음모의 깊은 골

불법 거래의 그림자

카페의 창문 너머로 서울의 불빛이 번쩍이고, 반짝이는 강남의 야경이 이들의 대화에 조용한 배경을 제공했다. 이현우, 준혁, 박수진은 카페의 조용한 구석에서 서로의 계획과 정보를 공유하며 중요한 논의를 이어갔다.

"국제적인 범죄 네트워크와의 전투는 쉽지 않을 겁니다," 이현우가 심각하게 말했다. "이들은 국경을 넘나들며 다양한 불법 활동에 손을 뻗치고 있어요. 우리의 첫 번째 목표는 이 네트워크의 핵심 구성원들을 파악하고 그들의 계획을 파헤치는 것입니다."

준혁은 그 말에 고개를 끄덕이며 말했다. "정보 수집이 중요할 것 같습니다. 현장에서의 직접적인 조사와 국가정보원의 자원을 결합한다면, 이 네트워크의 실체에 한 걸음 더 다가갈 수 있을 거예요."

박수진은 걱정스러운 표정으로 덧붙였다. "제 연구가 이런 일에 사용되는 것을 막기 위해 최선을 다하겠습니다. 하지만 제 연구에 대한 자세한 정보는 최대한 비밀에 부쳐두는 것이 좋겠어요."

이현우는 고개를 끄덕이며 박수진에게 안심시켰다. "걱정하지 마세요, 박사님. 우리는 박사님의 연구를 철저히 보호할 것이며, 이 사건에 대한 모든 정보는 극비로 다룰 예정입니다."

이들의 대화가 끝나고, 준혁은 이현우와 함께 국가정보원으로 향했다. 국가정보원의 본부는 서울의 중심부에 위치해 있었고, 현대적인 외관과 엄격한 보안 시스템으로 둘러싸여 있었다. 그들은 본부의 회의실로 들어가 정보원들과 합류했다.

회의실은 현대적인 디자인으로 꾸며져 있었고, 대형 스크린이 벽면을 차지하고 있었다. 이현우는 준혁과 정보원들에게 최근에 확보한 정보를 공유했다. "우리는 '검은 용' 조직이 동남아시아와 중동 지역의 여러 조직과 긴밀하게 연결되어 있음을 알아냈습니다. 이들은 무기, 마약, 기술 등 다양한 불법 거래에 관여하고 있습니다."

준혁은 스크린에 표시된 정보에 집중하며 말했다. "우리가 집중해야 할 것은 이들의 조직 구조와 거래 경로입니다. 현장에서의 추적과 정보원의 내부 정보가 결합된다면, 이들의 활동을 방해하고 그들의 계획을 붕괴시킬 수 있을 것입니다."

회의는 늦은 밤까지 이어졌고, 준혁과 정보원들은 다양한 전략과 작전을 논의했다. 그들은 국제적인 범죄 네트워크에 대한 각종 정보를 분석하고, 다음 행동 계획을 세웠다.

암호화된 신호와 비밀 창고

서울의 국가정보원 본부 내부, 고도의 보안으로 둘러싸인 회의실에서 준혁, 이현우, 그리고 정보원들은 긴박한 분위기 속에서 사건에 대한 다음 단계를 논의했다. 회의실은 첨단 장비로 가득 차 있었고, 중앙에는 거대한 전자 지도가 펼쳐져 있었다. 이 지도에는 '검은 용' 조직의 국제적 네트워크가 복잡한 선들로 연결되어 나타나 있었다.

이현우는 심각한 표정으로 시작했다. "이 네트워크는 아시아, 유럽, 중동을 아우르는 거대한 범죄 조직입니다. 우리의 목표는 이들의 핵심 인물들을 식별하고, 그들의 통신을 차단하는 것입니다."

준혁은 지도를 유심히 살피며 물었다. "이들의 통신 네트워크를 파악할 수 있는 방법이 있나요?"

한 정보원이 답했다. "우리는 이미 여러 통신 채널을 모니터링하고 있습니다. 하지만 이들은 매우 미묘하고 복잡한 암호 시스템을 사용하고 있어, 쉽게 추적하기 어렵습니다."

준혁은 생각에 잠긴 표정으로 고개를 끄덕였다. "그렇다면 우리는 그들의 암호를 해독하고, 그들의 내부 운영 방식을 파악해야 합니다. 그러기 위해서는 더 많은 현장 정보가 필요할 것 같습니다."

박수진은 우려를 표하며 말했다. "만약 제 연구가 이들의 손에 들어간다면, 그 결과는 상상하기도 끔찍합니다. 우리는 모든 수단을 동원해 이들의 계획을 저지해야 합니다."

이현우는 준혁과 박수진에게 확신을 주며 말했다. "우리는 김준혁 씨의 현장 경험과 박수진 박사님의 기술 지식을 바탕으로 이들을 추적할 것입니다. 또한, 국제적인 협력을 통해 이 조직의 활동을 좁혀나갈 계획입니다."

회의가 끝나고, 준혁과 이현우는 본부를 떠나 현장으로 향했다. 그들의 첫 번째 목적지는 '검은 용' 조직이 자주 사용하는 것으로 알려진 서울의 한 창고였다. 이 창고는 서울 외곽의 한 산업 단지에 위치해 있었고, 노후화된 외관과 높은 담장으로 둘러싸여 있었다.

준혁과 이현우는 밤이 깊어진 산업 단지로 들어섰다. 창고는 적막하고 음산한 분위기를 풍겼으며, 어둠 속에서 그들을 기다리고 있는 것 같았다. 준혁은 철저한 조사와 감시를 통해 창고 내부의 활동을 파악하기 시작했다.

창고 안에서, 그들은 예상치 못한 발견을 했다. 창고 안에는 다양한 무기와 기술 장비들이 숨겨져 있었다. 이것은 '검은 용' 조직의 불법 활동의 일부임을 분명하게 보여주었다.

준혁은 침착하게 상황을 평가하며 말했다. "이 창고는 그들의 주요 거점 중 하나로 보입니다. 여기서 확보한 정보와 장비들을 분석하면, 그들의 다음 움직임을 예측할 수 있을 것입니다."

이현우는 준혁의 말에 동의하며 추가 조치를 취했다. "우리는 이 장소를 철저히 조사하고, 여기서 얻은 정보를 바탕으로 그들의 네트워크를 더욱 깊게 파고들 것입니다."

비밀 창고와 잠들어 있는 음모

서울 외곽, 산업 단지의 한 구석에 위치한 창고는 버려진 듯한 외관과 폐허처럼 보이는 주변 환경으로 인해 눈에 띄지 않았다. 어두운 밤하늘 아래, 노출된 철근과 낡은 벽돌이 이곳이 오랫동안 방치되었음을 말해주고 있었다. 준혁과 이현우는 이곳을 신중하게 조사하기 시작했다. 그들은 조심스럽게 창고 안으로 들어가 각종 물품과 장비를 살폈다.

창고 내부는 예상치 못한 광경으로 가득 차 있었다. 벽면에는 세계 각국의 지도가 걸려 있었고, 다양한 언어로 된 문서들이 책상 위에 흩어져 있었다. 무엇보다 눈에 띄는 것은 고급스러운 무기와 통신 장비들이었다.

"이 모든 것이 '검은 용' 조직의 소행이라면, 그들의 활동 범위와 능력이 상상 이상입니다," 준혁이 중얼거렸다. 그의 눈은 책상 위에 펼쳐진 문서들에 고정되어 있었다.

이현우는 문서들을 주의 깊게 살피며 말했다. "이 문서들을 분석하면, 그들의 다음 목표와 계획을 예측할 수 있을 것 같습니다. 또한, 이 통신 장비들을 통해 그들의 네트워크에 침투할 수도 있겠군요."

그들은 창고 안을 계속 탐색하던 중, 뒤편에 숨겨진 비밀스러운 방을 발견했다. 이 방은 마치 조직의 핵심 구성원이 사용하는 사무실처럼 꾸며져 있었고, 고급 컴퓨터와 여러 모니터가 설치되어 있었다.

준혁이 컴퓨터를 살피며 말했다. "이 컴퓨터에는 조직의 데이터베이스에 대한 접근 권한이 있을지도 모릅니다. 우리는 이를 통해 그들의 내부 정보를 얻을 수 있을 거예요."

그 순간, 창고 밖에서 소란스러운 소리가 들려왔다. 준혁과 이현우는 서둘러 숨었다. 몇 명의 남성이 창고 안으로 들어오고 있었다. 그들은 '검은 용' 조직의 구성원으로 보였고, 서로의 작전에 대해 이야기하고 있었다.

준혁은 이현우에게 속삭였다. "우리는 조용히 이들의 대화를 엿들어야 합니다. 이들이 무슨 계획을 가지고 있는지 알아내야 해요."

그들은 조심스럽게 남성들의 대화를 들었다. 남성들은 최근의 실패한 거래에 대해 불만을 토로하고 있었으며, 새로운 계획에 대해 논의하고 있었다. "다음 작전은 더 큰 규모로 진행될 거야. 우리는 이번엔 실패할 여유가 없어," 한 남성이 말했다.

준혁과 이현우는 이 정보를 바탕으로 그들의 계획을 파헤치기 시작했다. 이들이 떠난 후, 그들은 창고에서 확보한 정보와 장비를 수거하고, 국가정보원으로 돌아갔다.

국가정보원 본부에서 그들은 확보한 정보를 분석하고, '검은 용' 조직의 다음 작전에 대한 대책을 마련했다. 준혁은 국제적인 협력을 통해 조직의 활동을 방해하고, 그들의 계획을 무너뜨리기 위한 복잡한 작전을 계획했다.

서막, 마침내 결투의 준비

서울의 한밤, 국가정보원 본부의 회의실에서 준혁과 이현우는 마지막 전략을 세우고 있었다. 회의실은 긴장감으로 가득 차 있었고, 벽면을 가득 채운 대형 스크린에는 '검은 용' 조직의 복잡한 네트워크와 그들의 예상 활동 지역이 표시되어 있었다. 서울의 밤하늘은 어두웠으나, 회의실 안은 활발한 토론과 정보 교환으로 빛나고 있었다.

"우리의 주요 목표는 조직의 국제적 연결고리를 끊는 것입니다," 이현우가 말했다. "이들의 통신망을 해킹하여, 그들의 계획을 방해하고 내부 정보를 빼내야 합니다."

준혁은 지도 위의 여러 지점을 가리키며 말했다. "이 지역들에서 '검은 용' 조직의 활동이 활발합니다. 우리는 이 지역들에 대한 감시를 강화하고, 현장에서의 신속한 작전을 통해 그들의 거점을 하나씩 무력화시켜야 합니다."

박수진은 걱정스러운 표정으로 덧붙였다. "제 연구가 이들의 손에 들어가면 상상할 수 없는 일이 벌어질 거예요. 우리는 시간과의 싸움을 하고 있는 거죠."

이현우는 박수진을 안심시키며 말했다. "걱정하지 마세요, 박사님. 우리는 당신의 연구를 철저히 보호하고 있습니다. 그리고 준혁 씨의 현장 경험과 우리의 정보력이 결합된다면, 이 사건을 성공적으로 마무리할 수 있을 겁니다."

회의가 끝나고, 준혁과 이현우는 '검은 용' 조직의 주요 거점 중 하나인 서울 동남부의 한 창고로 향했다. 창고는 낡고 버려진 산업 단지에 위치해 있었고, 그 주변은 음침하고 적막했다. 불규칙하게 놓인 컨테이너 사이로, 준혁과 이현우는 조용히 창고 안으로 들어갔다.

창고 내부는 매우 어둡고, 먼지가 가득했다. 그들은 적외선 고글을 착용하고 조심스럽게 내부를 탐색했다. 창고 안에는 불법 무기와 폭발물, 그리고 여러 가지 의심스러운 장비들이 숨겨져 있었다.

준혁은 장비들 사이에서 하나의 컴퓨터를 발견했다. 그는 이현우에게 속삭였다. "이 컴퓨터에는 조직의 중요한 정보가 있을지도 모릅니다. 저는 이것을 검사해보겠습니다."

준혁은 컴퓨터를 조작하며, 조직의 내부 네트워크에 접근하려 했다. 그의 손놀림은 빠르고 정확했다. 잠시 후, 그는 조직의 계획과 다음 목표를 드러내는 중요한 문서를 발견했다.

"이 문서에 따르면, '검은 용'은 곧 대규모 무기 거래를 계획하고 있습니다. 우리는 이 거래를 저지하고 그들의 핵심 인물들을 체포해야 합니다."

준혁과 이현우는 창고에서 확보한 정보를 가지고 국가정보원으로 돌아갔다. 그들은 확보한 정보를 분석하고, '검은 용' 조직의 다음 거래를 방해하기 위한 긴급한 작전을 계획했다.

비밀스러운 폭발, 더 큰 음모의 시작

서울의 새벽, 국가정보원 본부에서 준혁과 이현우는 '검은 용' 조직의 다가오는 대규모 무기 거래를 저지하기 위한 작전을 계획하고 있었다. 회의실은 긴장감으로 가득 차 있었고, 벽에 설치된 대형 스크린은 전 세계로 퍼져있는 조직의 활동 지도를 보여주고 있었다. 서울의 야경이 창문 너머로 보이며, 밤하늘에는 별들이 반짝이고 있었다.

이현우는 전략적으로 말했다. "우리는 이번 작전을 위해 여러 부서의 협력을 받을 것입니다. 국제적인 지원도 필요할 겁니다. 이 거래를 막는 것이 우리의 주요 목표입니다."

준혁은 지도 위의 특정 지점을 가리키며 말했다. "거래가 예상되는 장소는 여기, 서울 외곽의 한 무역항입니다. 우리는 거래 현장에 잠복하여 그들을 덫에 빠뜨릴 수 있습니다."

박수진, 회의실에 함께 있었던, 덧붙였다. "제 연구가 이 거래와 관련이 있다면, 그들은 어떠한 방법으로든 그것을 사용하려 할 겁니다. 우리는 모든 가능성에 대비해야 합니다."

회의가 끝나고, 준혁과 이현우는 작전 준비를 위해 현장으로 출발했다. 그들의 목적지는 서울 외곽에 위치한 작은 무역항이었다. 무역항은 조용했고, 컨테이너들이 빼곡하게 쌓여 있었다. 항구 주변은 어두웠고, 바다에서 부는 차가운 바람이 부딪혔다.

준혁과 이현우는 항구 주변에 은밀하게 잠복했다. 그들은 고도의 군사용 야간 투시경과 청음 장비를 사용하여 거래 현장을 감시했다. 시간이 흐르며, 그들은 조직의 구성원들이 거래 장소로 모이는 것을 발견했다.

이현우는 조용히 속삭였다. "거래가 시작되려는 것 같습니다. 준비하세요."

그 순간, 불법 거래 현장에서 무언가 예상치 못한 일이 발생했다. 컨테이너 중 하나에서 갑자기 큰 폭발음이 들려왔다. 준혁과 이현우는 즉시 행동에 나섰다.

준혁은 신속하게 거래 현장으로 진입했고, 이현우는 백업 부대를 호출했다. 거래 현장은 혼란으로 가득 차 있었고, '검은 용' 조직의 구성원들은 서둘러 도망치려 했다.

준혁은 한 구성원을 붙잡고 정보를 요구했다. "거래의 내용과 조직의 다음 계획은 무엇인가?"

구성원은 공포에 질린 목소리로 대답했다. "우리는 국제적인 무기 거래를 진행하려 했습니다. 그러나 우리의 계획은 누군가에 의해 방해받았습니다. 다음 계획은... 다음 계획은..."

그 순간, 준혁과 이현우는 무언가 더 큰 음모가 진행되고 있음을 깨달았다. 그들은 더 많은 정보를 수집하기 위해 즉시 행동에 나섰다.

5장 최후의 대결

공격의 그림자

서울 외곽의 무역항에서, 준혁과 이현우는 '검은 용' 조직의 거래 현장에서 혼란을 일으킨 후, 불법 거래를 방해했다. 컨테이너 사이로 긴박한 분위기가 흐르고, 밤하늘에는 별들이 빛나고 있었다. 항구는 비상등이 번쩍이며 경찰과 정보원들이 조직원들을 체포하는 장면으로 가득 차 있었다.

준혁은 붙잡힌 구성원을 심문하며 깊은 목소리로 물었다. "조직의 다음 계획은 무엇이며, 누가 이 거래의 배후에 있나요?"

구성원은 두려움에 떨며 대답했다. "다음 계획은... 다음 계획은 대규모 사이버 공격입니다. 우리의 배후엔... 국제적인 무기상인이 있어요. 그는 우리 조직을 조종하고 있습니다."

준혁은 이현우에게 이 정보를 전달했고, 이현우는 즉시 본부로 연락하여 추가 지원을 요청했다. "이 정보는 조직의 더 큰 계획을 밝히는 열쇠가 될 수 있습니다. 우리는 더 많은 정보를 수집하고 이 사이버 공격을 막아야 합니다."

이들은 국가정보원 본부로 돌아가 대책 회의를 진행했다. 회의실은 심각한 분위기로 가득 차 있었고, 스크린에는 국제적인 사이버 네트워크와 무기상인의 정보가 표시되고 있었다. 서울의 밤은 고요했지만, 회의실 안은 긴장과 활발한 토론으로 뜨거웠다.

준혁은 전략을 세우며 말했다. "우리는 이 사이버 공격을 차단하고, 무기상인의 신원을 밝혀내야 합니다. 이를 위해 국제적인 협력이 필요합니다."

이현우는 준혁의 말에 동의하며 추가 조치를 취했다. "우리는 국제 정보 기관과 협력하여 이 사이버 공격을 막을 것입니다. 또한, 이 무기상인의 신원과 위치를 파악하기 위해 모든 정보원을 동원할 것입니다."

회의가 끝나고, 준혁과 이현우는 서울 시내의 한 정보 기술 회사로 향했다. 이 회사는 사이버 보안 분야에서 선두적인 역할을 하고 있었고, 준혁과 이현우는 여기서 사이버 공격의 소스를 찾아내려 했다. 회사의 외관은 현대적인 디자인으로 돋보였고, 내부는 최첨단 장비로 가득 차 있었다.

그들은 회사의 보안 전문가와 함께 사이버 공격의 흔적을 추적하기 시작했다. 고도의 기술과 분석을 통해, 그들은 공격의 소스가 해외의 한 서버에 있음을 밝혀냈다. 준혁은 이 정보를 바탕으로 무기상인의 위치를 추적하기 시작했다.

밤이 깊어가는 가운데, 준혁과 이현우는 국제 정보 기관과의 협력을 통해 무기상인의 신원을 밝혀내고 그의 위치를 파악했다. 준혁은 이현우에게 말했다. "이제 우리는 그를 체포하고, 그의 범죄 네트워크를 완전히 붕괴시켜야 합니다."

폐공장에서의 결전

서울의 한밤, 준혁과 이현우는 무기상인의 신원을 밝혀내고 그의 위치를 파악한 후, 다음 행동을 계획했다. 그들은 국가정보원 본부에서 긴급하게 모인 특수 작전팀과 함께 전략 회의를 진행했다. 회의실은 긴장감으로 가득 차 있었고, 모니터에는 무기상인이 마지막으로 목격된 지역의 위성 이미지가 표시되고 있었다.

"우리의 목표는 무기상인을 체포하고, 그의 범죄 네트워크를 완전히 붕괴시키는 것입니다," 이현우가 말했다. "그가 마지막으로 목격된 곳은 서울 외곽의 한 폐공장입니다. 우리는 그곳에 잠복하고, 그가 나타나는 즉시 체포 작전을 개시할 것입니다."

준혁은 위성 이미지를 유심히 살피며 말했다. "폐공장 주변은 복잡한 구조로 되어 있어, 그를 체포하기 쉽지 않을 겁니다. 우리는 세밀한 계획과 빠른 행동이 필요합니다."

박수진은 걱정스러운 표정으로 덧붙였다. "제 연구가 그의 손에 들어가면 끔찍한 일이 벌어질 거예요. 우리는 모든 가능성에 대비해야 합니다."

작전팀은 밤새도록 계획을 세우고, 준비를 마쳤다. 이후, 그들은 폐공장으로 향했다. 폐공장은 서울 외곽의 외진 곳에 위치해 있었고, 주변은 무성한 나무와 잡초로 뒤덮여 있었다. 공장의 녹슨 철문과 깨진 창문이 그곳의 오랜 방치를 말해주고 있었다.

준현과 이현우는 작전팀과 함께 조심스럽게 공장 안으로 들어갔다. 그들은 고요한 어둠 속에서 각자의 위치를 취하고, 무기상인의 출현을 기다렸다.

시간이 흐르고, 마침내 무기상인이 나타났다. 그는 몇 명의 경호원을 대동하고 있었고, 공장 안으로 들어서며 주변을 경계했다. 준혁과 이현우는 신속하게 행동에 나섰다.

"지금!" 준혁이 소리쳤고, 작전팀은 즉시 무기상인과 그의 경호원들을 포위했다. 무기상인은 놀라 피하려 했으나, 준혁과 이현우는 그를 빠르게 제압하고 체포했다.

"당신의 범죄는 여기서 끝납니다," 준혁이 무기상인에게 말했다. " 당신의 네트워크도 곧 붕괴될 것입니다."

무기상인은 분노와 패배감으로 얼굴을 일그러뜨렸다. "당신들이 이겼다고 생각하나, 이것은 끝이 아니야. 네트워크는 너무나도 거대하고, 내가 사라져도 다른 누군가가 내 자리를 차지할 거야," 무기상인이 씁쓸한 웃음을 지으며 대답했다.

준혁은 차분하게 말했다. "그럼에도 우리는 당신과 당신의 조직을 멈추기 위해 모든 것을 할 것입니다. 법의 심판을 받게 될 겁니다."

이현우는 준혁의 말에 동의하며 무기상인을 경찰에 인계했다. "당신의 체포는 이 네트워크에 큰 타격을 입힐 것입니다. 우리는 계속해서 이 범죄 조직을 추적할 것입니다."

준혁, 이현우, 그리고 작전팀은 폐공장을 떠나 본부로 돌아갔다. 그들은 이번 작전의 성공을 기념했지만, 더 큰 범죄 네트워크와의 싸움이 계속될 것임을 알고 있었다.

본부로 돌아온 그들은 회의실에 모여 이번 작전의 결과를 분석했다. 회의실은 이제 승리의 기운으로 가득 차 있었지만, 모두의 표정은 여전히 진지했다. 스크린에는 체포된 무기상인의 정보와 네트워크의 맵이 표시되어 있었다.

"이번 작전은 큰 성공이었습니다. 하지만 이 네트워크는 여전히 활동 중입니다. 우리는 계속해서 그들의 활동을 감시하고, 그들을 추적해야 합니다," 이현우가 말했다.

준혁은 깊은 생각에 잠겼다. "이 네트워크는 매우 복잡하고, 여러 국가에 걸쳐 있습니다. 우리는 국제적인 협력을 강화하고, 정보 공유를 통해 이들을 계속해서 압박해야 합니다."

회의가 끝나고, 준혁은 서울의 밤거리를 거닐며 이번 사건에 대해 생각했다. 그는 이번 사건이 자신에게 큰 교훈을 주었음을 느꼈다. 도시의 불빛이 밝게 빛나는 가운데, 그는 더 큰 범죄와의 싸움을 준비하며 결심을 다졌다.

도시의 어두운 면, 새로운 싸움의 시작

서울의 새벽, 길거리의 불빛이 어둠을 밝히는 가운데, 준혁은 국가정보원 본부를 떠나고 있었다. 그의 마음속엔 무기상인의 체포와 그의 범죄 네트워크에 대한 생각이 뒤엉켜 있었다. 서울의 밤거리는 조용했지만, 그의 마음은 더 큰 싸움을 준비하는 긴장감으로 가득 차 있었다.

준혁은 서울의 한 전망 좋은 언덕에 올라 서울 전경을 바라보았다. 야경은 화려했고, 끝없이 펼쳐진 도시의 불빛이 마치 별처럼 빛나고 있었다. 그러나 그의 눈에는 불법과 범죄가 숨어 있는 어두운 면도 보였다.

그때, 이현우가 그의 옆에 다가왔다. "김준혁 씨, 우리가 이번 작전에서 큰 성공을 거두었지만, 아직 해야 할 일이 많습니다. '검은 용' 조직과 그들의 국제적인 네트워크는 여전히 큰 위협이죠."

준혁은 고개를 끄덕이며 대답했다. "네, 우리는 이제 시작일 뿐입니다. 이 네트워크를 완전히 해체하기 위해 국제적인 협력과 지속적인 노력이 필요할 겁니다."

이현우는 진지하게 말했다. "국가정보원은 이 사건을 우선순위로 삼고 있습니다. 우리는 당신의 도움을 계속 필요로 합니다. 당신의 지혜와 경험이 이 싸움에 큰 도움이 될 것입니다."

준혁은 서울의 야경을 바라보며 결심했다. "저는 이 도시와 국민을 보호하기 위해 제가 할 수 있는 모든 것을 하겠습니다. '검은 용' 조직과 그들의 범죄 행위를 뿌리 뽑겠습니다."

이후, 준혁은 이현우와 함께 국제 정보 기관과의 협력을 강화하고, '검은 용' 조직의 남은 구성원들과 그들의 활동을 추적하기 시작했다. 그들은 서울 시내의 여러 지점에서 정보를 수집하고, 조직의 숨겨진 거점을 찾아냈다.

한편, 박수진은 그녀의 연구를 안전하게 보호하기 위해 노력했다. 그녀의 연구는 국제적인 사이버 보안 회사의 도움을 받아 철저하게 보호되었고, 그녀는 연구를 계속 진행할 수 있었다.

준혁과 이현우는 서울 시내를 가로지르며 조직의 남은 흔적을 추적했다. 그들의 조사는 깊은 밤에도 멈추지 않았고, 서울의 번화가, 조용한 주택가, 외진 산업 지역까지 이어졌다. 각 지역에서 그들은 조직의 숨겨진 활동과 연결고리를 찾아내기 위해 노력했다.

한편, 국제 정보 기관과의 협력을 통해, 그들은 '검은 용' 조직의 국제적인 연결망을 점차 해체해 나갔다. 이들의 끈질긴 노력은 조직의 여러 해외 거점을 차단하고, 중요한 구성원들을 체포하는 성과를 거두었다.

서울 외곽의 한 비밀 거점에서, 준혁과 이현우는 조직의 중요한 데이터베이스를 발견했다. 이 데이터베이스에는 조직의 금융 거래, 불법 활동, 그리고 국제적인 연결고리에 대한 상세한 정보가 담겨 있었다. 준혁은 이 데이터를 활용해 조직의 금융 흐름을 차단하고,

그들의 활동을 더욱 광범위하게 방해했다.

이 모든 과정에서 준혁은 냉철하고 신중한 태도를 유지했으며, 이현우와의 긴밀한 협력으로 작전을 효과적으로 진행했다. 그들의 노력은 서울과 국제 사회에서 큰 주목을 받으며, '검은 용' 조직에 대한 국제적인 단속이 강화되었다.

사건이 마무리되어 가는 가운데, 준혁은 서울의 한 고층 빌딩의 옥상에 서서 도시를 내려다보았다. 서울의 밤하늘은 별이 반짝이고, 아래로 펼쳐진 도시는 불빛으로 환하게 빛나고 있었다. 그는 이 도시를 지키기 위해 자신이 할 수 있는 모든 것을 했다는 만족감을 느꼈다.

이현우가 그의 곁에 섰다. "김준혁 씨, 우리는 이번 사건을 통해 큰 성과를 이뤘습니다. 하지만 이 싸움은 여기서 끝나지 않을 겁니다. 우리는 앞으로도 지속적인 경계와 노력이 필요합니다."

준혁은 고개를 끄덕이며 대답했다. "네, 우리의 싸움은 계속됩니다. 이 도시와 국민을 지키기 위해, 저는 언제든지 준비되어 있습니다."

준혁과 이현우는 고층 빌딩의 옥상에서 서울의 야경을 바라보며, 앞으로의 계획을 논의했다. 이현우는 국제 정보 기관과의 협력을 강화하고, 더욱 정교한 정보 네트워크를 구축할 것을 제안했다. 준혁은 이 제안에 동의했고, 그 자신도 조직의 잔재를 철저히 추적하고 제거하기 위해 개인적인 노력을 계속하기로 했다.

그들의 대화는 한편으로는 성공을 자축하는 것이었지만, 동시에 미래에 대한 경계와 책임감을 담고 있었다. 서울의 불빛 아래에서, 그들은 범죄와의 싸움이 결코 쉽지 않으며, 지속적인 노력과 헌신이 필요하다는 것을 잘 알고 있었다.

준혁은 이현우에게 말했다. "이번 사건을 통해 우리는 많은 것을 배웠습니다. 하지만 범죄와의 싸움은 여기서 끝나지 않습니다. 우리는 항상 새로운 위협에 대비해야 합니다."

이현우는 고개를 끄덕이며 대답했다. "당신의 말이 맞습니다. 우리는 앞으로도 계속해서 긴장을 늦추지 말아야 합니다. 국가정보원은 당신과 같은 용감한 사람들이 필요합니다."

준혁은 서울의 밤하늘을 바라보며, 이 도시와 그 속에서 살아가는 사람들을 지키기 위한 그의 역할에 대해 다시 한번 생각했다. 그는 자신의 경험과 지식을 활용하여, 서울을 보다 안전한 곳으로 만드는 데 기여하기 위해 계속 노력할 것임을 다짐했다.

서울의 밤, 숨겨진 진실

서울의 한밤, 높은 빌딩들 사이로 별빛이 살짝 비추며 도시의 어둠을 밝히고 있었다. 거리는 은은한 불빛과 간간이 지나가는 차량의 소음으로 가득 차 있었다. 준혁은 국가정보원 본부를 떠나며 무엇인가 결심한 듯한 표정을 지었다. 그의 눈빛은 고요한 밤에 더욱 깊이 빛나고 있었다.

"이 도시는 아직 안전하지 않아..." 준혁은 혼잣말처럼 중얼거렸다. 그의 마음속에는 '검은 용' 조직의 남은 구성원들과 그들이 꿈틀대는 국제적 네트워크에 대한 생각이 끊임없이 맴돌았다. 그는 이 조직을 완전히 무너뜨리기 위한 계획을 세우기 시작했다.

서울 외곽의 한 조용한 카페에 들어선 준혁은 노트북을 펼쳤다. 카페는 밤늦게까지 운영되는 곳으로, 어둠 속에서도 따뜻한 빛과 커피 향이 손님들을 맞이했다. 준혁은 이곳에서 이현우와 국가정보원의 지원을 받으며, 국제적인 정보 네트워크를 통해 조직의 활동을 추적했다. 그의 작업은 광범위한 데이터 분석과 통신 감청, 그리고 정교한 현장 조사로 이루어졌다.

박수진 박사는 그녀의 연구소에서 준혁과 정보원들에게 필요한 기술적 지원을 제공했다. 그녀의 연구는 이제 국제적인 사이버 보안과 범죄 방지에 중요한 역할을 하고 있었다. 박사는 컴퓨터 화면을 통해 준혁과 지속적으로 연락을 주고받으며, 그의 작업에 필요한 정보와 기술을 제공했다.

준혁은 서울 외곽의 한 비밀 거점에서 조직의 중요한 데이터베이스를 발견했다. 이 데이터베이스는 조직의 금융 거래, 불법 활동, 국제적 연결고리에 대한 상세한 정보를 담고 있었다. 준혁은 이 데이터를 활용해 조직의 금융 흐름을 차단하고, 그들의 활동을 방해했다.

어느 날 밤, 준혁과 이현우는 국제 정보 기관과 협력하여 서울 외곽의 폐공장에서 무기상인을 체포했다. 폐공장은 오랜 시간 방치된 채로, 녹슨 철문과 깨진 창문으로 둘러싸여 있었다. 이 곳에서의 작전은 긴장감 넘치는 순간들로 가득 찼으며, 무기상인의 체포는 그들에게 큰 승리였다.

작전이 끝난 후, 준혁은 다시 서울의 밤거리를 걸었다. 그는 이번 경험을 통해 더욱 성장했고, 그의 결단력과 노력이 서울을 지키는 데 크게 기여했다. 그는 앞으로도 도시와 국민을 지키기 위해 계속해서 도전에 맞서 싸울 것임을 다짐했다.

이현우는 준혁의 옆에서 그를 바라보며 말했다. "김준혁 씨, 우리는 이번 사건을 통해 큰 성과를 이뤘습니다. 하지만 범죄와의 싸움은 여기서 끝나지 않습니다. 우리는 앞으로도 지속적인 경계와 노력이 필요합니다."

준혁은 서울의 밤하늘을 바라보며 그의 역할에 대해 다시 한번 생각했다. 그는 자신의 경험과 지식을 활용하여 서울을 보다 안전한 곳으로 만드는 데 기여하기 위해 계속 노력할 것임을 다짐했다.

그림자 속의 비밀

서울의 한밤, 준혁은 서울 외곽의 한 폐공장에서 무기상인의 체포 후에도 불안한 마음을 감출 수 없었다. 공장은 낡은 기계와 녹슨 철재로 가득 차 있었고, 차가운 바람이 텅 빈 창문을 통해 불어 들어왔다. 달빛이 고요하게 내려앉은 폐허는 준혁의 고민을 더욱 깊게 만들었다.

"이현우 씨, 이건 끝이 아닙니다. '검은 용' 조직의 그림자는 여전히 이 도시 곳곳에 숨어 있어요," 준혁은 이현우에게 말했다. 그의 목소리는 결의에 차 있었지만, 걱정의 빛도 엿보였다.

이현우는 공감하는 듯 고개를 끄덕였다. "당신의 말이 맞아요, 준혁 씨. 우리는 '검은 용' 조직의 모든 활동을 추적하고 그들의 그림자를 완전히 지워야 합니다. 국가정보원은 이 작전을 계속 지원할 것입니다."

준혁과 이현우는 폐공장을 떠나 서울 시내로 향했다. 서울의 밤은 불빛으로 환했지만, 그들의 마음은 무거웠다. 그들은 조용한 카페에서 다시 만나 작전을 논의하기로 했다.

카페는 따뜻한 조명과 부드러운 재즈 음악으로 가득 차 있었다. 준혁은 노트북을 열고, 이현우와 함께 '검은 용' 조직의 남은 네트워크를 분석하기 시작했다. 그들의 눈은 피곤함에도 불구하고, 데이터와 정보에 집중하고 있었다.

"여기, 이 통신 기록을 보세요. '검은 용' 조직이 아직도 활발하게 움직이고 있어요. 우리는 이들의 다음 계획을 알아내야 합니다," 준혁이 지적했다. 그의 손가락이 노트북 화면 위를 빠르게 움직였다.

이현우는 준혁의 분석에 깊은 관심을 보이며 말했다. "이 정보를 바탕으로 우리는 더 많은 조직원들을 체포할 수 있을 겁니다. 국제 정보 기관과의 협력도 더욱 강화해야 합니다."

준혁은 잠시 생각에 잠긴 후, 이현우에게 제안했다. "이현우 씨, 저는 현장으로 직접 나가서 조사를 진행하겠습니다. 서울 시내의 일부 지역에서 조직의 활동이 포착되었어요."

이현우는 준혁의 결정을 지지하며, 그에게 필요한 모든 지원을 약속했다. "당신의 현장 경험이 이번 작전에 큰 도움이 될 것입니다. 우리는 당신의 뒤를 든든히 지원할 것입니다."

준혁은 서울의 거리로 나섰다. 그는 서울의 번화가, 조용한 주택가, 그리고 외진 공업 지역을 누비며 조직의 흔적을 추적했다. 그의 조사는 깊은 밤까지 이어졌고, 서울의 각 구석구석에서 조직의 숨겨진 활동과 연결고리를 찾아내기 위해 노력했다.

한편, 박수진 박사는 준혁의 조사를 위해 최신 사이버 보안 기술을 제공했다. 그녀의 연구는 이제 국제적인 사이버 보안의 중요한 역할을 하고 있었고, 준혁의 작업에 큰 도움이 되었다.

준혁의 끈질긴 조사와 이현우의 지원으로, 그들은 '검은 용' 조직의 남은 구성원들을 하나둘씩 체포하기 시작했다. 이들의 노력은 서울은 물론 전 세계의 안전을 위한 중요한 승리로 이어졌다.

작전이 끝난 후, 준혁은 다시 서울의 밤거리를 걸었다. 그는 이번 경험을 통해 더욱 성장했고, 그의 결단력과 노력이 서울을 지키는 데 크게 기여했다. 그는 앞으로도 도시와 국민을 지키기 위해 계속해서 도전에 맞서 싸울 것임을 다짐했다.

6장 진실과의 마주침

어둠 속의 추적자

서울의 깊은 밤, 긴장감이 도시의 고요함을 감돌았다. 고층 빌딩 사이로 빛나는 불빛들이 어둠을 밝혔지만, 그 사이로 숨겨진 위협이 도사리고 있었다. 준혁은 칠흑 같은 어둠 속에서도 멈추지 않았다. 그의 눈에는 결의가 반짝였고, 마음속에는 '검은 용' 조직의 그림자를 쫓는 강한 의지가 불타고 있었다.

준혁은 서울의 좁은 골목길을 누비며, 조직의 남은 구성원들을 찾아내기 위해 끊임없이 움직였다. 각 골목의 모습은 다르지만, 그에게는 모두 같은 목표를 향한 길이었다. 골목의 벽에는 낡은 포스터가 바람에 흔들리고, 가로등 불빛 아래로 고양이가 스쳐 지나갔다.

"이곳에 숨어 있는 건 확실해. '검은 용'의 마지막 잔당들이 여기 어딘가에 있다고..." 준혁은 이현우와의 무전을 통해 정보를 공유했다. 그의 목소리는 낮고 진지했다.

이현우의 목소리가 무전기를 통해 들려왔다. "준혁 씨, 조심하세요. 그들은 절대 쉽게 포기하지 않을 겁니다. 우리는 당신의 뒤를 든든히 지원할 것입니다."

준혁은 골목길을 벗어나 한 낡은 창고로 향했다. 창고는 오래 전에 버려진 듯 했으며, 쓰레기가 널브러진 주변은 음침한 분위기를 자아냈다. 준혁은 조심스럽게 창고 안으로 들어갔다. 그곳은 어둡고, 먼지가 가득했다. 오래된 산업 장비와 부서진 가구가 곳곳에 흩어져 있었다.

창고 안을 조사하던 준혁은 갑자기 움직임을 감지했다. 그는 순식간에 숨을 죽이고 주변을 살폈다. 그의 눈은 어둠에 익숙해져 있었고, 귀는 조그마한 소리에도 민감했다.

갑작스럽게, 무언가가 그에게 달려들었다. 준혁은 빠르게 반응하여 그것을 제압했다. 그것은 '검은 용' 조직의 한 구성원이었다. 준혁은 그를 조사하며 단호한 목소리로 말했다. "당신들의 계획은 무엇이고, 다음 목표는 어디인가?"

구성원은 두려움에 떨며 대답했다. "우리는... 우리는 서울에서의 마지막 작전을 준비 중입니다. 대상은... 대상은..."

그 순간, 준혁은 무전기를 통해 이현우의 목소리를 들었다. "준혁 씨, 조심하십시오. 우리가 발견한 정보에 따르면 그들은 서울의 중심부에서 대규모 공격을 준비하고 있습니다."

준혁은 즉시 행동을 취했다. 그는 구성원을 이현우에게 인계했고, 서울의 중심부로 향했다. 그곳에서 그는 '검은 용' 조직의 마지막 작전을 막기 위한 결정적인 행동을 취할 준비가 되어 있었다.

서울의 운명, 한밤의 대결

비밀스러운 서울의 밤, 준혁은 서울의 중심부로 향하며 마음을 다잡았다. 불빛으로 환하게 빛나는 도시 속, 그의 눈빛에는 결연한 의지가 서려 있었다. 그는 '검은 용' 조직의 마지막 작전을 막기 위해 각오를 다졌다.

준혁이 도착한 곳은 서울의 번화한 상업 지구였다. 화려한 네온사인과 끊임없이 흘러나오는 사람들로 가득 찬 이곳에서, 준혁은 조직의 움직임을 감지했다. 그의 귀는 사람들의 대화 속에서 조직원들의 소리를 구분해냈다. 그의 눈은 사람들의 행동을 주의 깊게 관찰했다.

준혁은 이현우에게 무전을 보냈다. "이현우 씨, 조직원들이 이 지역에 숨어 있습니다. 작전을 시작합시다. 모든 준비가 되었나요?"

이현우의 답변이 무전기를 통해 돌아왔다. "준비 완료했습니다, 준혁 씨. 작전팀이 위치를 확보했습니다. 조심하십시오."

준혁은 상업 지구 한복판에 위치한 건물로 진입했다. 건물은 현대적인 디자인으로 도시의 야경과 조화를 이루고 있었다. 준혁은 조용히 건물 안으로 들어가 엘리베이터를 탔다. 그는 조직이 이 건물의 최상층에서 무언가를 계획하고 있다는 정보를 받았다.

엘리베이터가 최상층에 도착했을 때, 준혁은 조심스럽게 문을 열고 건물의 복도로 들어섰다. 복도는 어둡고 조용했으나, 그는 긴장을 늦추지 않았다. 그의 발걸음은 소리 없이 복도를 따라 이동했다.

복도 끝에서, 준혁은 조직원들과 마주쳤다. 그들은 무언가를 운반하고 있었고, 준혁을 보자 긴장한 표정을 지었다. 준혁은 신속하게 행동하여 그들을 제압했다. 그는 조직원들에게 물었다. "여기서 무엇을 하고 있나요? 당신들의 계획은 무엇인가요?"

조직원 중 한 명이 대답했다. "우리는 여기서 중요한 데이터를 전송하려고 했습니다. 그 데이터는... 그 데이터는..."

그 순간, 준혁은 건물의 다른 쪽에서 소리가 들려오는 것을 감지했다. 그는 즉시 그 방향으로 움직였다. 복도 끝에서 그는 조직의 핵심 인물과 마주쳤다. 이 인물은 준혁을 보고 놀란 표정을 지었다.

"당신은 여기서 무엇을 하고 있나요?" 준혁이 물었다.

핵심 인물은 씁쓸하게 웃으며 대답했다. "당신들은 너무 늦었습니다. 우리의 계획은 이미 실행 중입니다. 서울은 우리의..."

그 순간, 준혁은 무전기를 통해 이현우의 목소리를 들었다. "준혁 씨, 그 건물은 위험합니다. 즉시 대피하십시오. 우리는 건물을 포위하고 있습니다."

준혁은 핵심 인물을 제압하고, 빠르게 건물을 빠져나갔다. 그는 밖으로 나오자마자 작전팀과 합류하여 건물을 포위했다. 준혁과 이현우는 건물 안의 모든 조직원들을 체포했고, 그들의 계획을 저지했다.

작전이 성공적으로 마무리되고, 준혁은 다시 서울의 밤거리를 걸었다. 그는 이번 작전을 통해 서울을 큰 위험으로부터 구했고, '검은 용' 조직의 그림자를 지워냈다. 도시의 불빛 아래, 준혁은 앞으로도 계속해서 도시와 국민을 지키기 위해 헌신할 것임을 다짐했다.

서울, 어둠을 거스르는 빛

서울의 깊은 밤은 침묵 속에 숨겨진 비밀을 간직하고 있었다. 번화가의 네온사인이 반짝이며 밤의 어둠을 밝히는 가운데, 준혁은 서울의 중심부에 위치한 고층 건물을 빠르게 빠져나왔다. 건물 안에서의 긴장감 넘치는 대결 이후, 그의 마음은 더욱 강렬한 결심으로 불타오르고 있었다.

"이현우 씨, 작전은 성공적이었습니다. 하지만 우리는 여기서 멈출 수 없어요. '검은 용'의 그림자는 여전히 이 도시 곳곳에 남아 있을 겁니다," 준혁은 이현우에게 무전으로 연락했다. 그의 목소리에는 끊임없는 결의가 담겨 있었다.

이현우의 목소리가 무전기를 통해 단호하게 들려왔다. "당신의 말에 동의합니다, 준혁 씨. 국가정보원은 당신의 작전을 계속 지원할 것입니다. 우리는 이 도시를 지키기 위해 모든 것을 할 준비가 되어 있습니다."

준혁은 서울의 한 고요한 공원으로 향했다. 공원의 나무들 사이로 밤바람이 살랑거리고, 벤치에 앉아 도시의 야경을 바라보았다. 고층 빌딩들이 밤하늘을 수놓은 별처럼 빛나고 있었고, 준혁은 이 빛들 속에서 새로운 희망을 발견했다.

준혁은 서울의 밤거리를 걸으며 '검은 용' 조직의 남은 구성원들을 찾기 시작했다. 그는 서울의 번화가, 조용한 주택가, 그리고 외진 공업 지역을 철저히 조사했다. 그의 발걸음은 끊임없이 이어졌고, 그의 눈은 모든 가능성을 열어 두고 조사했다.

준혁은 서울 외곽의 한 빈집에서 조직의 숨겨진 본거지를 발견했다. 빈집은 낡고 음침했으며, 더러운 창문과 부서진 문이 그곳의 오랜 방치를 말해주고 있었다. 준혁은 조심스럽게 집 안으로 들어가 조사를 시작했다.

집 안은 어둡고, 오래된 가구와 흩어진 서류들로 가득 차 있었다. 준혁은 서류들을 하나하나 살피며 조직의 계획과 그들의 다음 목표를 찾아냈다. 그는 서류 중 하나에서 '검은 용' 조직의 다음 행동 계획을 발견했다. 그들은 서울의 중요한 정부 건물을 공격할 계획이었다.

준혁은 즉시 이현우에게 이 정보를 전달했고, 그들은 긴급하게 대응 계획을 세웠다. 준혁은 작전팀과 함께 정부 건물로 향했다. 그들은 밤이 깊어가는 가운데 건물을 포위하고, 조직원들의 공격을 막아냈다.

공격을 저지한 후, 준혁은 정부 건물의 옥상에서 서울을 내려다보았다. 그는 이 도시를 지키기 위해 끊임없이 싸워야 한다는 사실을 깨달았다. 그의 눈앞에 펼쳐진 서울의 야경은 그에게 새로운 도전에 맞서 싸우겠다는 강한 의지를 불어넣었다.

그림자 너머의 진실

서울의 야경은 그 어느 때보다 화려하게 빛나고 있었지만, 준혁의 마음은 무거웠다. 정부 건물을 둘러싼 긴급 작전이 성공적으로 끝났음에도 불구하고, 그의 눈에는 여전히 의심의 그림자가 어른거렸다. 옥상에서 내려다본 도시는 평온해 보였지만, 준혁은 '검은 용' 조직의 진짜 의도가 무엇인지에 대해 의문을 품었다.

"준혁 씨, 이번 작전으로 '검은 용'의 주요 계획을 저지했습니다. 이제 그들은 큰 타격을 입었죠," 이현우가 준혁의 곁에서 말했다. 하지만 그의 목소리에도 확신이 없었다.

준혁은 이현우에게 시선을 돌리며 의문을 표했다. "이현우 씨, 모든 것이 너무 수월했어요. 우리가 놓치고 있는 게 있지 않을까요? '검은 용'의 진짜 목표는 다른 곳에 있을 수도 있습니다."

이현우는 잠시 생각에 잠긴 후, 고개를 끄덕였다. "당신의 말이 맞을 수도 있습니다. 우리는 다시 조사를 시작해야 합니다. 모든 가능성을 열어두고 조사해야 해요."

준혁은 서울의 거리로 다시 나섰다. 그는 '검은 용' 조직의 활동이 집중된 지역을 재차 조사했다. 서울의 골목길과 숨겨진 장소들을 철저히 탐색하며, 그는 조직의 남은 흔적을 찾기 시작했다.

준혁의 조사는 서울 외곽의 한 폐차장으로 그를 이끌었다. 폐차장은 오래된 차량들로 가득 차 있었고, 녹슨 철문이 그곳의 오랜 방치를 증명하고 있었다. 준혁은 조심스럽게 폐차장 안으로 들어갔다. 그곳은 음산하고, 고요했다. 숨겨진 공간에서, 그는 조직의 실제 계획을 담은 문서를 발견했다.

문서에 따르면, '검은 용' 조직의 진짜 목표는 서울의 주요 인프라를 파괴하는 것이었다. 이것은 단순한 정부 건물 공격의 미끼에 불과했다. 준혁은 즉시 이현우에게 이 정보를 전달했다.

"이현우 씨, 우리가 놓친 게 있었습니다. 이들의 진짜 목표는 서울의 인프라를 파괴하는 것이었어요. 이 문서를 보세요. 우리는 즉시 대응해야 합니다," 준혁은 긴급하게 말했다.

이현우는 놀라며 대응을 지시했다. "준혁 씨, 이 정보는 매우 중요합니다. 우리는 즉시 대규모 대응 작전을 시작하겠습니다. 서울을 지키기 위해 모든 것을 할 겁니다."

준혁과 이현우는 서울의 주요 인프라를 보호하기 위한 긴급 작전을 진행했다. 그들은 작전팀과 함께 서울 전역에 퍼져 있는 조직의 구성원들을 추적하고 체포했다. 이들의 끈질긴 노력은 서울의 안전을 위협하는 큰 위험으로부터 도시를 구했다.

작전이 끝난 후, 준혁은 서울의 한 다리 위에 서서 도시를 내려다보았다. 그는 서울을 지키기 위해 끊임없이 노력할 것임을 다짐했다. 도시의 불빛이 밤하늘에 반짝이고, 그의 마음속에는 새로운 희망과 도전이 자리 잡았다.

암호화된 메시지의 시작

서울의 밤은 늘 그렇듯 화려한 불빛으로 가득 차 있었다. 빌딩들 사이로 유유히 흐르는 강물은 도시의 번잡함과는 대조적인 고요함을 선사했다. 준혁은 강가에 서서, 방금 끝난 긴박한 작전의 여운을 떨치려 애쓰고 있었다. 그의 눈은 멀리 펼쳐진 서울의 야경을 바라보고 있었지만, 마음은 어딘가 멀리 떠돌고 있었다.

그때, 준혁의 폰이 진동했다. 휴대폰 화면에는 알 수 없는 번호에서 온 메시지 알림이 떠 있었다. 메시지는 간단했지만, 그 내용은 준혁을 당황하게 만들었다. '진실을 알고 싶다면, 과거를 들여다보아라. -K'

"이게 무슨 뜻이지?" 준혁은 중얼거렸다. 그는 메시지의 의미를 해석하려고 애썼지만, 머릿속은 더욱 혼란스러워졌다. '과거를 들여다보라'는 말은 무엇을 의미하는 것일까? 그리고 'K'는 누구인가?

준혁은 서울의 밤거리를 거닐며 과거를 떠올려보았다. 그의 과거에는 '검은 용' 조직과의 오랜 대결과, 그 과정에서 겪은 여러 사건들이 자리하고 있었다. 하지만 그 중 어느 것도 이 메시지와 연결되는 것 같지 않았다.

그는 자신이 가장 신뢰하는 이현우에게 연락을 취했다. 이현우는 준혁의 고민을 듣고 깊은 생각에 잠겼다.

"이 메시지는 분명 무언가를 암시하고 있어요. 준혁 씨, 우리는 과거의 사건들을 다시 조사해야 할 것 같습니다. 어쩌면 그 안에 숨겨진 진실이 있을지도 모릅니다," 이현우가 조심스럽게 말했다.

준혁은 자신의 과거 사건들을 하나하나 되짚어보기 시작했다. 그는 오래된 사건 기록과 자료들을 다시 살펴보았고, 과거의 동료들과 접촉을 시도했다. 하지만 아무리 조사해도 'K'의 정체와 메시지의 의미는 오리무중이었다.

그러던 어느 날, 준혁은 과거에 작전 중 사라진 한 동료의 이름이 'K'로 시작된다는 것을 기억해냈다. 이 동료는 '검은 용' 조직과 관련된 중요한 사건에 투입되었던 인물이었다.

"혹시 이 동료가 메시지를 보낸 걸까?" 준혁은 의문을 품으며, 그 동료의 마지막 위치와 관련된 자료를 찾아 조사하기 시작했다. 그의 조사는 서울 외곽의 한 버려진 창고로 그를 이끌었다.

창고는 낡고 음산했다. 안으로 들어선 준혁은 어둠 속에서 무언가를 발견했다. 그것은 오래된 서류 케이스였고, 그 안에는 '검은 용'

조직과 관련된 다양한 문서가 담겨 있었다. 그 문서들 사이에서 준혁은 충격적인 사실을 발견했다. 그 사실은 '검은 용' 조직의 진짜 목적과 그들의 광범위한 계획을 드러내고 있었다.

"이건... 이건 대체..." 준혁은 믿을 수 없다는 듯 중얼거렸다. 그는 이현우에게 즉시 연락을 취했다. "이현우 씨, 여기 중요한 것을 발견했습니다. '검은 용' 조직의 진짜 계획이 여기에 있습니다. 우리는 즉시 대응해야 합니다."

이현우는 준혁의 말에 놀란 듯 대답했다. "준혁 씨, 무슨 일인가요? 정확히 무슨 일이 발생한 겁니까?"

준혁은 창고 안에서 발견한 문서의 내용을 이현우에게 전달했다. 그 문서에는 '검은 용' 조직이 서울의 주요 인프라를 파괴하고, 도시 전체를 혼란에 빠뜨릴 계획이 담겨 있었다. 이 계획은 단순한 범죄 행위를 넘어서는 것이었고, 준혁과 이현우는 서울을 지키기 위해 새로운 대응 계획을 세우기 시작했다.

7장 새로운 희망의 새벽

과거의 그림자, 잊혀진 진실

서울의 한 조용한 카페에서, 준혁은 불안한 마음으로 과거 사건들의 기록을 넘겼다. 카페는 부드러운 재즈 음악과 따스한 조명으로 가득 차 있었지만, 준혁의 마음은 어딘가 멀리, 과거의 사건들 속에 빠져 있었다. 그의 눈은 오래된 문서들과 사진들에 고정되어 있었고, 그 중 한 장의 사진이 그의 시선을 사로잡았다.

사진 속에는 준혁과 그의 오랜 동료들이 함께 찍힌 모습이었다. 그들은 그 시절 '검은 용' 조직과의 싸움에서 서로를 의지하며 많은 시간을 보냈다. 하지만 그중 한 명, 이름은 카이였던 동료는 어느 날 갑자기 사라졌다. 준혁은 카이가 'K'일 가능성에 대해 생각했다.

"카이가 보낸 걸까?" 준혁은 혼잣말로 중얼거렸다. "하지만 왜? 그리고 지금 왜 나타난 거지?"

준혁은 카이의 마지막 위치와 관련된 정보를 찾기 시작했다. 그는 정부 건물의 보안 기록, CCTV 영상, 그리고 당시의 작전 보고서를 자세히 살펴보았다. 그러던 중, 준혁은 한 CCTV 영상에서 카이가 의심스러운 남자와 만나는 모습을 발견했다. 그

남자의 정체는 다름 아닌 '검은 용' 조직의 한 핵심 멤버였다.

"이건 대체 무슨 일이야..." 준혁은 혼란스러워했다. "카이가 조직과 관련이 있다니, 이해할 수 없어."

준혁은 이현우에게 연락해 이 사실을 알렸다. 이현우도 놀란 목소리로 대답했다. "그건 놀라운 발견입니다, 준혁 씨. 카이가 조직과 연관이 있다면, 이건 우리의 작전에 큰 영향을 미칠 수 있습니다."

준혁은 카이의 행방을 추적하기 시작했다. 그의 조사는 서울 외곽의 한 폐공장으로 이어졌다. 폐공장은 쓸쓸하고 음산한 분위기를 풍겼고, 곳곳에 버려진 기계 부품들이 낡은 시간의 흔적을 드러냈다.

준혁은 조심스럽게 폐공장 안으로 들어갔다. 그곳에서 그는 카이의 개인 물건과 기록들을 발견했다. 물건들 사이에서, 준혁은 카이가 작성한 듯한 일기장을 발견했다. 일기장에는 '검은 용' 조직과 카이의 관계, 그리고 그들의 계획에 대한 충격적인 진실이 담겨 있었다.

"이럴 수가... 카이가 이 모든 일의 핵심에 있었다니..." 준혁은 믿을 수 없다는 듯 중얼거렸다. 일기장에 따르면, 카이는 '검은 용' 조직의 실질적인 리더였고, 서울에 대한 그들의 계획은 그가 직접 지휘했다는 것이었다.

준혁은 이현우에게 이 충격적인 발견을 알렸다. 이현우는 놀라

움과 분노를 감추지 못했다. "이건 우리가 알던 모든 것을 뒤바꾸는 일입니다. 준혁 씨, 우리는 이 사실을 바탕으로 새로운 대응 계획을 세워야 합니다."

배신의 그림자

준혁은 카페의 조용한 구석에서 깊은 생각에 잠겨 있었다. 그의 앞에 펼쳐진 것은 과거의 사건 보고서와 사진들, 그리고 그 사이에서 방금 발견된 충격적인 사실이었다. 신뢰하던 동료 중 한 명이 '검은 용' 조직과 내통하고 있다는 사실은 준혁에게 커다란 배신감을 안겨주었다.

준혁의 머릿속은 혼란스러운 생각으로 가득 차 있었다. "왜... 왜 그랬을까?" 그는 자신도 모르게 중얼거렸다. 그의 동료였던 사람은 오랜 시간 함께 일해온 신뢰할 수 있는 인물이었다. 그들은 함께 수많은 위험을 넘어섰고, 서로의 생명을 맡길 정도로 가까웠다.

카페 안은 부드러운 음악과 따뜻한 빛으로 가득 차 있었지만, 준혁의 마음은 차갑고 어두웠다. 그는 다시 보고서와 사진들을 들여다보았다. 사진 속에서 그의 동료는 항상 미소를 지으며 다른 이들과 어울리고 있었다. 그러나 그 뒤에 숨겨진 배신의 진실은 그의 미소를 더욱 음울하게 만들었다.

준혁은 결심을 굳혔다. "이현우 씨, 저는 이 배신자를 찾아낼 겁니다. '검은 용' 조직과의 관계를 밝혀내고, 그의 진짜 목적이 무엇인지 알아낼 거예요."

이현우는 무전기 너머로 엄숙하게 대답했다. "준혁 씨, 그 사람이 누구인지 알고 있습니까? 그리고 그가 왜 그런 일을 하게 되었는지 알 수 있나요?"

준혁은 깊은 한숨을 쉬며 대답했다. "아직 확실치 않습니다. 하지만 저는 그가 왜 이런 선택을 했는지 알아내야 합니다. 그리고 그가 어떤 정보를 가지고 있는지도요."

준혁은 카페를 떠나 서울의 밤거리로 나섰다. 그는 동료의 마지막 위치를 추적하기 시작했다. 서울의 번화가와 골목길을 누비며 그는 조심스럽게 증거를 수집했다. 준혁의 발걸음은 빠르고 결단력 있었다. 그는 누구도 믿지 않았다. 그에게 이제 중요한 것은 오직 진실뿐이었다.

그의 조사는 서울 외곽의 한 창고로 이끌었다. 창고는 폐허와 같았고, 어둠 속에서 음산한 분위기를 풍겼다. 준혁은 조심스럽게 창고 안으로 들어갔다. 그곳에서 그는 동료가 남긴 것으로 보이는 여러 가지 증거들을 발견했다. 그 중에는 '검은 용' 조직의 활동과 관련된 중요한 문서들도 포함되어 있었다.

준혁은 문서들을 살펴보며, 그 안에 숨겨진 비밀을 파헤치기 시작했다. 그는 조직의 계획과 그의 동료가 어떤 역할을 했는지를 차근차근 분석했다. 그리고 그가 발견한 것은 준혁을 경악하게 만들었다. 그의 동료는 조직의 주요 계획을 설계한 인물이었고, 그 계획은 서울에 엄청난 파괴를 가져올 수 있는 것이었다.

준혁은 충격과 분노로 가득 차 있었다. "이게 어떻게 가능한 일인가..." 그는 혼잣말로 중얼거렸다. "왜... 왜 그는 이런 길을 선택했을까?"

은폐된 음모의 실체

서울의 한 잠복처에서 준혁과 이현우는 '검은 용' 조직의 실체에 대해 논의하고 있었다. 창밖으로 보이는 서울의 야경은 평화로워 보였지만, 두 사람의 대화는 긴장감으로 가득 차 있었다.

"이현우 씨, '검은 용' 조직이 이렇게 큰 음모를 꾸미고 있다니, 상상도 못했어요," 준혁이 말했다. 그의 목소리는 믿기 어렵다는 듯 떨려왔다.

이현우는 심각한 표정으로 대답했다. "준혁 씨, 이 사실을 알게 된 건 우리에게 큰 전환점이 될 것입니다. 우리가 알던 '검은 용' 조직은 단순한 범죄 조직이 아니에요. 그들은 서울을 무대로 한 거대한 음모를 계획하고 있습니다."

준혁은 고개를 끄덕이며 이어 말했다. "우리는 이 음모를 밝혀내고, 막아야 해요. 이현우 씨, 우리의 다음 행동 계획은 무엇인가요?"

이현우는 준혁에게 작전 계획을 설명했다. "우리는 먼저 조직의 통신망을 해킹하여 그들의 계획을 파악할 것입니다. 그리고 그 정보를 바탕으로 서울의 중요 인프라를 보호하고, 조직의 핵심 인물들을 체포해야 합니다."

준혁은 작전 계획에 동의했다. 그들은 즉시 행동에 나섰다. 준혁은 서울의 여러 지역에서 조직의 통신망을 추적했고, 이현우는 국가정보원의 지원을 받아 작전을 조율했다.

그들의 노력은 곧 결실을 맺었다. 준혁은 조직의 통신망을 해킹하는 데 성공했고, 그들의 음모를 드러내는 중요한 정보를 입수했다. 그 정보에 따르면, '검은 용' 조직은 서울의 전력망과 통신 시스템을 마비시키려는 계획을 세우고 있었다.

"이현우 씨, 이 정보를 보세요. 조직의 계획은 서울 전체를 혼란에 빠뜨리려는 거대한 사이버 공격이었어요," 준혁이 급하게 말했다.

이현우는 정보를 확인하고는 즉시 작전팀에 지시를 내렸다. "준비하세요. 우리는 서울을 지키기 위해 즉시 대응해야 합니다."

준혁과 이현우는 서울의 주요 인프라를 보호하기 위한 긴급 작전을 시작했다. 그들은 조직의 사이버 공격을 저지하고, 서울을 안전하게 지키기 위해 밤낮으로 노력했다.

그러나 그들이 조직의 계획을 저지하는 동안, 예상치 못한 사건이 발생했다. 준혁은 작전 중에 우연히 '검은 용' 조직의 리더와 마주쳤다. 리더는 준혁에게 충격적인 말을 남겼다.

"준혁, 너는 아직 모르는 게 많아. 우리의 계획은 단순한 파괴가 아니야. 더 큰 목적이 있어..."

준혁은 리더의 말에 혼란스러워했다. "더 큰 목적이라니, 무슨 말이죠?"

리더는 미소를 지으며 사라졌다. "곧 알게 될 거야, 준혁..."

서울을 향한 음모의 그림자

준혁은 서울의 한 높은 건물 옥상에 서서, 도시의 야경을 내려다보며 생각에 잠겼다. 밤하늘을 수놓은 불빛들이 화려하게 반짝이고 있었지만, 그의 마음은 무겁기만 했다. '검은 용' 조직의 실체에 대한 충격적인 진실이 그의 머릿속을 가득 채웠다.

"이현우 씨, 이 조직은 단순히 범죄를 저지르는 데 그치지 않았어요. 그들의 목적은 서울 전체를 대혼란에 빠트리는 것이었어요," 준혁이 무전기를 통해 이현우에게 말했다.

이현우의 목소리가 무전기를 통해 답했다. "그렇군요, 준혁 씨. 그렇다면 우리는 더 큰 위험에 직면해 있는 겁니다. 그들의 계획을 저지하기 위한 작전을 즉시 시작해야 합니다."

준혁은 옥상을 떠나 서울의 중심부로 향했다. 그는 거리를 걸으며 조직의 다음 행동을 예측하려 애썼다. 그의 마음속은 불안과 긴장감으로 가득 차 있었다.

준혁은 이현우와 함께 서울의 주요 인프라를 보호하기 위한 작전을 계획했다. 그들은 서울의 전력망, 통신 시스템, 그리고 중요한 정부 기관을 보호하기 위해 긴급히 행동했다.

작전은 밤새도록 진행되었다. 준혁과 이현우는 조직의 사이버 공격을 저지하기 위해 서울의 여러 지점에 팀을 배치했다. 그들은 빠르고 효율적으로 움직였고, 조직의 공격을 하나씩 막아내기 시작했다.

하지만, 그들이 사이버 공격을 저지하는 동안, 예상치 못한 사건이 발생했다. 서울의 한 전력 공급 시설에서 대규모 폭발이 일어났다. 이 폭발은 서울 전역에 큰 혼란을 야기했고, 준혁과 이현우는 즉시 현장으로 달려갔다.

현장에 도착한 준혁은 폭발의 규모에 경악했다. "이건... 이건 예상치 못한 일이에요. 조직의 계획은 우리가 생각한 것보다 훨씬 광범위했어요."

이현우는 준혁에게 말했다. "준혁 씨, 우리는 더 큰 위험에 직면해 있습니다. 우리의 모든 자원을 동원해야 합니다. 이 사태를 통제하기 위해서는 더 강력한 대응이 필요합니다."

준혁과 이현우는 서울의 전력망과 통신 시스템을 복구하기 위해 밤새도록 노력했다. 그들은 조직의 추가 공격을 막기 위해 서울 전역에 경계를 강화했다.

이중 스파이, 숨겨진 정체

서울의 한 은밀한 아지트에서, 준혁과 이현우는 긴박한 분위기 속에서 대화를 나누고 있었다. 준혁의 눈은 이현우에게 고정되어 있었고, 그의 표정은 의심과 혼란으로 얼룩져 있었다.

"이현우 씨, 당신이... 정말로 '검은 용' 조직과 싸우기 위해 과거에 조직 내부에 잠입했던 이중 스파이였다는 건가요?" 준혁이 물었다.

이현우는 깊은 한숨을 쉬고, 천천히 대답했다. "맞습니다, 준혁 씨. 그것은 제가 맡은 가장 어려운 임무였죠. 그 때문에 많은 것을 희생해야 했습니다."

준혁은 충격과 의심이 섞인 눈빛으로 이현우를 바라보았다. "그럼 당신은... 당신은 그동안 우리와 조직 사이에서 어떤 역할을 해왔던 건가요?"

이현우는 진지한 표정으로 말을 이어갔다. "제 임무는 '검은 용' 조직의 계획과 움직임을 파악하는 것이었습니다. 하지만 그 과정에서 예상치 못한 상황들이 많았죠. 때로는 정체를 숨기기 위해 어쩔 수 없는 선택들도 해야 했습니다."

준혁은 이현우의 말에 묵묵히 고개를 끄덕였다. "그럼 당신은 조직의 진정한 목적을 알고 있었나요?"

이현우는 잠시 고민하는 듯 보였다. "제가 알기로, '검은 용' 조직의 목적은 단순히 범죄를 저지르는 것 이상이었습니다. 그들은 사실 서울을 혼란에 빠뜨리고, 그로 인해 얻을 수 있는 이득을 노리고 있었죠."

준혁은 이현우의 말에 깊은 생각에 잠겼다. "그렇다면 우리가 마주하고 있는 상황은 단순한 범죄 사건이 아니라, 훨씬 더 큰 음모의 일부라는 거군요."

이현우는 고개를 끄덕였다. "그렇습니다. 이제 우리가 해야 할 일은 이 음모를 저지하고, 서울을 지키는 것입니다."

준혁은 이현우의 말에 힘을 얻은 듯 보였다. "그렇다면 우리는 서울을 보호하기 위해 더욱 강력하게 대응해야 합니다. 이현우 씨, 우리는 이 싸움에서 반드시 승리해야 합니다."

이현우는 준혁의 결연한 태도에 감명받은 듯했다. "준혁 씨, 우리는 함께 이겨낼 겁니다. 서울을 지키기 위해 우리가 할 수 있는 모든 것을 다하겠습니다."

서울을 위한 최후의 결전

준혁과 이현우는 서울의 고요한 한 밤에 긴급한 작전을 준비하고 있었다. 준혁의 표정은 결의에 차 있었고, 이현우는 전에 없이 심각했다. 그들은 서울의 주요 인프라를 보호하기 위한 중대한 작전을 계획하고 있었다.

"이현우 씨, 모든 준비가 되었나요?" 준혁이 물었다. 그의 목소리는 긴장감으로 가득 차 있었다.

이현우는 고개를 끄덕이며 답했다. "준비 완료했습니다, 준혁 씨. 우리 팀들은 이미 위치를 잡고 있습니다. 우리의 목표는 '검은 용' 조직의 사이버 공격을 저지하는 것입니다."

준혁은 깊은 숨을 들이켰다. "좋습니다. 이 작전은 서울의 안전을 지키는 결정적인 순간이 될 것입니다. 우리는 실패할 수 없어요."

준혁과 이현우는 서울의 여러 지점에서 작전을 시작했다. 그들은 조직의 사이버 공격을 막기 위해 서울의 전력망, 통신 시스템, 그리고 중요한 정부 기관을 감시했다.

그들의 노력은 곧 결실을 맺었다. 서울의 한 통신 시설에서 조직의 해킹 시도가 감지되었고, 준혁과 이현우의 팀은 즉시 그곳으로 출동했다. 현장에 도착한 준혁은 빠르게 상황을 파악하고, 팀원들과 함께 해킹 시도를 저지했다.

하지만 그 순간, 서울의 다른 지역에서 또 다른 공격이 시작되었다. 준혁과 이현우는 즉시 그곳으로 이동했다. 그들은 밤새도록 서울 곳곳에서 조직의 공격을 막아내며, 도시의 안전을 지켰다.

작전이 끝난 후, 준혁은 이현우와 함께 서울의 한 지붕 위에서 있었다. 그들은 도시를 바라보며, 방금 일어난 일들을 되새겼다.

"이현우 씨, 우리는 오늘 서울을 큰 위험으로부터 지켜냈습니다. 하지만 '검은 용' 조직의 위협은 여전히 남아 있어요. 우리의 싸움은 여기서 끝나지 않습니다," 준혁이 말했다.

이현우는 준혁의 말에 동의하며 대답했다. "맞습니다, 준혁 씨. 우리는 앞으로도 계속해서 경계해야 합니다. 하지만 오늘 우리가 보여준 것처럼, 우리는 어떤 위협도 극복할 수 있습니다."

준혁은 서울의 야경을 바라보며 다짐했다. "이현우 씨, 우리는 서울을 지키기 위해 계속 싸울 것입니다. 어떤 어려움도 우리를 막을 수 없습니다."

서울의 운명을 건 최후의 대결

서울의 한 비밀 아지트에서 준혁과 이현우는 긴박한 분위기 속에서 최종 작전을 계획하고 있었다. 준혁의 눈은 결의에 차 있었고, 이현우는 전에 없이 진지했다. 그들은 '검은 용' 조직의 핵심 인물들과의 최후의 대결을 앞두고 있었다.

"이현우 씨, 이번 작전이 성공해야 합니다. 우리는 서울의 운명을 건 싸움에 임하고 있어요," 준혁이 말했다. 그의 목소리는 긴장감으로 가득 차 있었다.

이현우는 고개를 끄덕이며 답했다. "준비 완료했습니다, 준혁 씨. 우리는 그들의 본거지로 직접 들어가 그들의 핵심 인물들을 체포할 예정입니다. 이 작전은 위험하지만, 서울을 지키기 위해 반드시 필요합니다."

준혁과 이현우는 작전 팀을 이끌고 서울 외곽의 한 거대한 창고로 향했다. 창고는 '검은 용' 조직의 비밀 본거지로 알려져 있었다. 그들은 밤의 어둠을 틈타 조용히 창고 안으로 침투했다.

창고 안은 음침하고 적막했다. 준혁과 이현우는 긴장한 채로 조심스럽게 복도를 따라 이동했다. 그들의 목표는 조직의 리더, 그리고 그의 최측근들이었다.

그들은 창고의 한 방으로 들어섰고, 그곳에서 예상치 못한 광경을 목격했다. 방 안에는 커다란 모니터와 복잡한 통신 장비들이 설치되어 있었고, 그 중앙에는 '검은 용' 조직의 리더가 앉아 있었다.

리더는 준혁과 이현우를 보고 미소를 지었다. "드디어 왔군, 준혁. 너희들이 오기를 기다렸어."

준혁은 리더를 노려보며 말했다. "당신의 계획은 여기서 끝납니다. 서울을 위협하는 당신의 음모를 용납할 수 없습니다."

리더는 차분하게 대답했다. "너희는 아직 모르는 것이 많아, 준혁. 이 모든 것이 단순한 범죄가 아니야. 우리의 목표는 더 크고, 더 중요해."

준혁은 리더에게 다가가며 말했다. "그 목표가 무엇이든, 당신은 실패할 것입니다. 우리는 당신을 막을 준비가 되어 있어요."

그 순간, 창고의 다른 쪽에서 또 다른 인물이 나타났다. 그는 준혁의 오랜 친구이자 동료였던 카이였다. 준혁은 카이를 보고 충격을 받았다.

"카이, 너도 이곳에... 왜?" 준혁이 놀란 목소리로 물었다.

카이는 씁쓸한 미소를 지으며 대답했다. "미안해, 준혁. 나는 너희에게 말하지 못했던 비밀을 가지고 있었어. 나는 이 조직과 함께 일해왔고, 그들의 계획에 동참했어."

준혁은 카이의 말에 깊은 배신감을 느꼈다. "너도 우리를 배신한 거야? 왜 그랬어, 카이?"

카이는 한숨을 쉬며 말했다. "이 모든 것은 더 큰 목적을 위한 것이었어, 준혁. 나는 너희에게 말할 수 없는 이유가 있었어."

친구의 배신, 숨겨진 진실

서울 외곽의 거대한 창고에서, 준혁은 충격과 혼란 속에 서 있었다. 그의 앞에는 오랜 친구이자 동료였던 카이가 조직의 리더와 함께 서 있었다. 준혁의 눈빛은 배신감과 슬픔으로 가득 차 있었다.

"카이, 왜 이런 선택을 했어? 우리는 함께 싸워왔잖아. 너와 나, 우리는 동료였어," 준혁이 말했다. 그의 목소리는 떨리고 있었다.

카이는 고개를 숙이고, 조용히 대답했다. "미안해, 준혁. 나는 너에게 모든 것을 말할 수 없었어. 내가 가진 이유가 있었기 때문이야."

준혁은 카이를 노려보며 계속 말했다. "그 이유가 무엇이든, 너는 우리를 배신했어. 그리고 서울을 위험에 빠뜨렸어. 너는 어떻게 그럴 수 있어?"

카이는 잠시 침묵한 후, 천천히 말하기 시작했다. "나는 '검은 용' 조직에 들어갔을 때, 그들의 진정한 목적을 알게 되었어. 그들은 서울을 무대로 한 거대한 계획을 세우고 있었고, 나는 그 계획에 반대할 수 없었어. 나는 서울을 지키기 위해 내부에서 싸울 수밖에 없었어."

준혁은 카이의 말에 더욱 혼란스러워졌다. "그래서 너는 우리 모두를 속였단 말이야? 너의 친구들마저?"

카이는 깊은 한숨을 쉬며 대답했다. "그랬어. 나는 내가 할 수 있는 최선을 다하려고 했어. 하지만 그것이 너희를 배신하는 길이었다는 걸 나도 알아."

그 순간, 조직의 리더가 나서며 말했다. "준혁, 너는 아직 모르는 게 많아. 우리의 계획은 단순한 파괴가 아니야. 우리는 더 큰 목적을 가지고 있어. 카이는 그 일부였을 뿐이야."

준혁은 리더를 향해 분노를 표출했다. "당신의 목적이 무엇이든, 나는 그것을 막을 것입니다. 당신은 서울을 위협했고, 그 대가를 치를 것입니다."

리더는 차가운 미소를 지으며 대답했다. "그렇게 생각한다면, 너는 우리의 계획을 막을 수 없을 거야. 이미 우리의 계획은 진행 중이고, 너희는 막을 수 없어."

새로운 희망, 서울의 빛

서울의 한 새벽, 준혁은 조직의 비밀 본거지에서 벌어진 마지막 대결의 여파로 깊은 사색에 잠겨 있었다. 그는 카이의 배신과 조직 리더의 충격적인 계획을 알게 된 후, 깊은 갈등과 슬픔에 휩싸여 있었다. 준혁의 마음속은 복잡한 감정들로 어지러웠지만, 그는 서울을 지키겠다는 확고한 결심을 내렸다.

"카이, 너의 배신은 나에게 큰 상처였어. 하지만 나는 이 도시를 지키기 위해 싸울 거야," 준혁은 혼잣말처럼 중얼거렸다.

그의 눈앞에는 서울의 야경이 펼쳐져 있었다. 도시는 아직도 조직의 사이버 공격으로 인한 혼란에서 회복 중이었다. 그러나 준혁은 그 혼란 속에서도 서울의 아름다움과 강인함을 느낄 수 있었다.

준혁은 이현우와 함께 서울의 주요 인프라를 복구하고 안전을 확보하는 데 전념했다. 그들은 끊임없이 노력하며 서울의 정상적인 상태를 회복시키기 위해 애썼다.

"이현우 씨, 우리가 함께 해낸 거예요. 서울이 다시 평화를 찾을 거예요," 준혁이 이현우에게 말했다.

이현우는 고개를 끄덕이며 대답했다. "그래요, 준혁 씨. 우리의 노력 덕분에 서울은 다시 안전해질 겁니다. 하지만 우리는 앞으로도 경계를 늦춰서는 안 됩니다."

서울의 새벽이 밝아오고 있었다. 준혁은 서울의 거리를 걸으며, 도시의 회복과 새로운 시작을 느꼈다. 그의 마음속에는 서울을 지키겠다는 강한 의지와 함께 새로운 희망이 자리 잡았다.

"이 도시는 내가 지킬 거야. 어떤 위협도 서울을 무너뜨릴 수 없어," 준혁은 다짐하며 서울의 밤거리를 바라보았다.